D1129606

STEFAN GEORGE

SÄMTLICHE WERKE

IN 18 BÄNDEN

BAND VI/VII

KLETT-COTTA

STEFAN GEORGE

DER SIEBENTE RING

KLETT-COTTA

ZEITGEDICHTE

DAS ZEITGEDICHT

Ihr meiner zeit genossen kanntet schon
Bemasset schon und schaltet mich – ihr fehltet.
Als ihr in lärm und wüster gier des lebens
Mit plumpem tritt und rohem finger ranntet:
Da galt ich für den salbentrunknen prinzen
Der sanft geschaukelt seine takte zählte
In schlanker anmut oder kühler würde ·
In blasser erdenferner festlichkeit.

Von einer ganzen jugend rauhen werken
Ihr rietet nichts von qualen durch den sturm
Nach höchstem first · von fährlich blutigen träumen.
›Im bund noch diesen freund!‹ und nicht nur lechzend
Nach tat war der empörer eingedrungen
Mit dolch und fackel in des feindes haus . .
Ihr kundige las't kein schauern · las't kein lächeln ·
Wart blind für was in dünnem schleier schlief.

Der pfeifer zog euch dann zum wunderberge
Mit schmeichelnden verliebten tönen · wies euch
So fremde schätze dass euch allgemach
Die welt verdross die unlängst man noch pries.
Nun da schon einige arkadisch säuseln
Und schmächtig prunken: greift er die fanfare ·
Verlezt das morsche fleisch mit seinen sporen
Und schmetternd führt er wieder ins gedräng.

Da greise dies als mannheit schielend loben
Erseufzt ihr: solche hoheit stieg herab!
Gesang verklärter wolken ward zum schrei!..
Ihr sehet wechsel · doch ich tat das gleiche.
Und der heut eifernde posaune bläst
Und flüssig feuer schleudert weiss dass morgen
Leicht alle schönheit kraft und grösse steigt
Aus eines knaben stillem flötenlied.

DANTE UND DAS ZEITGEDICHT

Als ich am torgang zitternd niedersank
Beim anblick der Holdseligsten · von gluten
Verzehrt die bittren nächte sann · der freund
Mitleidig nach mir sah · ich nur noch hauchte
Durch ihre huld und durch mein lied an sie:
War ich den menschen spott die nie erschüttert
Dass wir so planen minnen klagen – wir
Vergängliche als ob wir immer blieben.

Ich wuchs zum mann und mich ergriff die schmach
Von stadt und reich verheert durch falsche führer...
Wo mir das heil erschien kam ich zu hilfe
Mit geist und gut und focht mit den verderbern.
Zum lohn ward ich beraubt verfehmt und irre
Ein bettler jahrelang an fremde türen
Aufs machtgebot von tollen – sie gar bald
Nur namenloser staub indess ich lebe.

Als dann mein trüber vielverschlagner lauf ·
Mein schmerz ob unsrer selbstgenährten qualen ·
Mein zorn auf lasse niedre und verruchte
In form von erz gerann: da horchten viele
Sobald ihr grauen schwand dem wilden schall
Und ob auch keiner glut und klaue fühlte
Durchs eigne herz: es schwoll von Etsch bis Tiber
Der ruhm zum sitz des fried- und heimatlosen.

Doch als ich drauf der welt entfloh · die auen
Der Seligen sah · den chor der engel hörte
Und solches gab: da zieh man meine harfe
Geschwächten knab- und greisentons . . o toren!
Ich nahm aus meinem herd ein scheit und blies –
So ward die hölle · doch des vollen feuers
Bedurft ich zur bestrahlung höchster liebe
Und zur verkündigung von sonn und stern.

GOETHE-TAG

Wir brachen mit dem zarten frührot auf
Am sommerend durch rauchendes gefild
Zu Seiner stadt. Noch standen plumpe mauer
Und würdelos gerüst von menschen frei
Und tag – unirdisch rein und fast erhaben.
Wir kamen vor sein stilles haus · wir sandten
Der ehrfurcht blick hinauf und schieden. Heute
Da alles rufen will schweigt unser gruss.

Noch wenig stunden: der geweihte raum
Erknirscht: sie die betasten um zu glauben . .
Die grellen farben flackern in den gassen ·
Die festesmenge tummelt sich die gern
Sich schmückt den Grossen schmückend und ihn fragt
Wie er als schild für jede sippe diene –
Die auf der stimmen lauteste nur horcht ·
Nicht höhen kennt die seelen-höhen sind.

Was wisst ihr von dem reichen traum und sange
Die ihr bestaunet! schon im kinde leiden
Das an dem wall geht · sich zum brunnen bückt ·
Im jüngling qual und unrast · qual im manne
Und wehmut die er hinter lächeln barg.
Wenn er als ein noch schönerer im leben
Jezt käme – wer dann ehrte ihn? er ginge
Ein könig ungekannt an euch vorbei.

Ihr nennt ihn euer und ihr dankt und jauchzt –
Ihr freilich voll von allen seinen trieben
Nur in den untren lagen wie des tiers –
Und heute bellt allein des volkes räude …
Doch ahnt ihr nicht dass er der staub geworden
Seit solcher frist · noch viel für euch verschliesst
Und dass an ihm dem strahlenden schon viel
Verblichen ist was ihr noch ewig nennt.

NIETZSCHE

Schwergelbe wolken ziehen überm hügel
Und kühle stürme – halb des herbstes boten
Halb frühen frühlings... Also diese mauer
Umschloss den Donnerer – ihn der einzig war
Von tausenden aus rauch und staub um ihn?
Hier sandte er auf flaches mittelland
Und tote stadt die lezten stumpfen blitze
Und ging aus langer nacht zur längsten nacht.

Blöd trabt die menge drunten · scheucht sie nicht!
Was wäre stich der qualle · schnitt dem kraut!
Noch eine weile walte fromme stille
Und das getier das ihn mit lob befleckt
Und sich im moderdunste weiter mästet
Der ihn erwürgen half sei erst verendet!
Dann aber stehst du strahlend vor den zeiten
Wie andre führer mit der blutigen krone.

Erlöser du! selbst der unseligste –
Beladen mit der wucht von welchen losen
Hast du der sehnsucht land nie lächeln sehn?
Erschufst du götter nur um sie zu stürzen
Nie einer rast und eines baues froh?
Du hast das nächste in dir selbst getötet
Um neu begehrend dann ihm nachzuzittern
Und aufzuschrein im schmerz der einsamkeit.

Der kam zu spät der flehend zu dir sagte:
Dort ist kein weg mehr über eisige felsen
Und horste grauser vögel – nun ist not:
Sich bannen in den kreis den liebe schliesst..
Und wenn die strenge und gequälte stimme
Dann wie ein loblied tönt in blaue nacht
Und helle flut – so klagt: sie hätte singen
Nicht reden sollen diese neue seele!

BÖCKLIN

Trompetenstoss mag aus- und einbegleiten
Umflitterten popanz und feisten krämer –
Du ziehst verschont von gnaden die entehren
Aus stiller schar der nah- und fernen frommen
Den sonnen zu. Dir winken ruh die Schöne
Der städte und Toskanas treue fichten
Und weiter an ligurischen gestades
Erglühtem fels das mütterliche meer.

Als damals hässlich eitle hast begann ·
Die glieder so verschnürt dass eins nur wuchre ·
DER unrat schürfte · DER den himmel stürmte:
Entflohest du des alltags frechem jubel:
›Was einzig hebt aus schlamm und schutt – ihr ehrt
Und kennts nicht mehr · dies kleinod reinster helle
Das alle farben strahlt rett ich zur fremde
Bis ihr entblindet wieder nach ihm ruft.‹

Ja wirklicher als jene knechteswelt
Erschufst du die der freien warmen leiber
Mit gierden süss und heiss · mit klaren freuden.
Du riefst aus silberluft und schmalen wipfeln
Aus zaubergrüner flut aus blumigem anger
Aus nächtiger schlucht die urgebornen schauer
Und vors gesims der lorbeern und oliven
Gelobtes land im duft der sagenferne.

Du gabst dem schmerz sein maass: die brandung musste
Vertönen · schrei durch güldne harfe sausen ·
Und steter hoffnung tiefste bläue wölktest
Du über öde fall und untergang . .
Dass heut wir leichten hauptes wandeln dürfen
Nicht arm im dunkel schluchzen war dein walten ·
Du nur verwehrtest dass uns (dank dir Wächter!)
In kalter zeit das heilige feuer losch.

PORTA NIGRA

INGENIO ALF: SCOLARI

Dass ich zu eurer zeit erwachen musste
Der ich die pracht der Treverstadt gekannt
Da sie den ruhm der schwester Roma teilte ·
Da auge glühend gross die züge traf
Der klirrenden legionen · in der rennbahn
Die blonden Franken die mit löwen stritten ·
Die tuben vor palästen und den Gott
Augustus purpurn auf dem goldnen wagen!

Hier zog die Mosel zwischen heitren villen ..
O welch ein taumel klang beim fest des weines!
Die mädchen trugen urnen lebenschwellend –
Kaum kenn ich diese trümmer · an den resten
Der kaiserlichen mauern leckt der nebel ·
Entweiht in särgen liegen heilige bilder ·
Daneben hingewühlt barbarenhöhlen ..
Nur aufrecht steht noch mein geliebtes tor!

Im schwarzen flor der zeiten doch voll stolz
Wirft es aus hundert fenstern die verachtung
Auf eure schlechten hütten (reisst es ein
Was euch so dauernd höhnt!) auf eure menschen:
Die fürsten priester knechte gleicher art
Gedunsne larven mit erloschnen blicken
Und frauen die ein sklav zu feil befände –
Was gelten alle dinge die ihr rühmet:

Das edelste ging euch verloren: blut ..
Wir schatten atmen kräftiger! lebendige
Gespenster! lacht der knabe Manlius ..
Er möchte über euch kein zepter schwingen
Der sich des niedrigsten erwerbs beflissen
Den ihr zu nennen scheut – ich ging gesalbt
Mit perserdüften um dies nächtige tor
Und gab mich preis den söldnern der Cäsaren!

FRANKEN

Es war am schlimmsten kreuzweg meiner fahrt:
Dort aus dem abgrund züngelnd giftige flammen ·
Hier die gemiednen gaue wo der ekel
Mir schwoll vor allem was man pries und übte ·
Ich ihrer und sie meiner götter lachten.
Wo ist dein dichter · arm und prahlend volk?
Nicht einer ist hier: Dieser lebt verwiesen
Und Jenem weht schon frost ums wirre haupt.

Da lud von Westen märchenruf . . so klang
Das lob des ahnen seiner ewig jungen
Grossmütigen erde deren ruhm ihn glühen
Und not auch fern ihn weinen liess · der mutter
Der fremden unerkannten und verjagten . .
Ein rauschen bot dem erben gruss als lockend
In freundlichkeit und fülle sich die ebnen
Der Maas und Marne unterm frühlicht dehnten.

Und in der heitren anmut stadt · der gärten
Wehmütigem reiz · bei nachtbestrahlten türmen
Verzauberten gewölbs umgab mich jugend
Im taumel aller dinge die mir teuer –
Da schirmten held und sänger das Geheimnis:
VILLIERS sich hoch genug für einen thron ·
VERLAINE in fall und busse fromm und kindlich
Und für sein denkbild blutend: MALLARMÉ.

Mag traum und ferne uns als speise stärken –
Luft die wir atmen bringt nur der Lebendige.
So dank ich freunde euch die dort noch singen
Und väter die ich seit zur gruft geleitet ...
Wie oft noch spät da ich schon grund gewonnen
In trüber heimat streitend und des sieges
Noch ungewiss · lieh neue kraft dies flüstern:
RETURNENT FRANC EN FRANCE DULCE TERRE.

LEO XIII

Heut da sich schranzen auf den thronen brüsten
Mit wechslermienen und unedlem klirren:
Dreht unser geist begierig nach verehrung
Und schauernd vor der wahren majestät
Zum ernsten väterlichen angesicht
Des Dreigekrönten wirklichen Gesalbten
Der hundertjährig von der ewigen burg
Hinabsieht: schatten schön erfüllten daseins.

Nach seinem sorgenwerk für alle welten
Freut ihn sein rebengarten: freundlich greifen
In volle trauben seine weissen hände ·
Sein mahl ist brot und wein und leichte malve
Und seine schlummerlosen nächte füllt
Kein wahn der ehrsucht · denn er sinnt auf hymnen
An die holdselige Frau · der schöpfung wonne ·
Und an ihr strahlendes allmächtiges kind.

›Komm heiliger knabe! hilf der welt die birst
Dass sie nicht elend falle! einziger retter!
In deinem schutze blühe mildre zeit
Die rein aus diesen freveln sich erhebe . .
Es kehre lang erwünschter friede heim
Und brüderliche bande schlinge liebe!‹
So singt der dichter und der seher weiss:
Das neue heil kommt nur aus neuer liebe.

Wenn angetan mit allen würdezeichen
Getragen mit dem baldachin – ein vorbild
Erhabnen prunks und göttlicher verwaltung –
Er eingehüllt von weihrauch und von lichtern
Dem ganzen erdball seinen segen spendet:
So sinken wir als gläubige zu boden
Verschmolzen mit der tausendköpfigen menge
Die schön wird wenn das wunder sie ergreift.

DIE GRÄBER IN SPEIER

Uns zuckt die hand im aufgescharrten chore
Der leichenschändung frische trümmer streifend.
Wir müssen mit den tränen unsres zornes
Den raum entsühnen und mit unserm blut
Das alte blut besprechen dass es hafte ·
Dass nicht der Spätre schleicht um tote steine
Beraubte tempel ausgesognen boden . .
Und der Erlauchten schar entsteigt beim bann:

Des weihtums gründer · strenge kronenstirnen ·
Im missglück fest · in busse gross: nach Konrad
Der dritte Heinrich mit dem stärksten zepter –
In wälschen wirren · in des sohnes aufruhr
Der Vierte reichsten schicksals: haft und flucht ·
Doch wer ihn wegen sack und asche höhnte
Den schweigt er stolz: der orte sind für euch
Von schmählicherem klange als Kanossa.

Urvater Rudolf steigt herauf mit sippe ·
Er sah in seinem haus des Reiches pracht
Bis zu dem edlen Max dem lezten ritter ·
Sah tiefste schmach noch heut nicht heiler wunde
Durch mönchezank empörung fremdengeissel ·
Sah der jahrtausendalten herrschaft ende
Und nun die grausigen blitze um die reste
Des stamms dem unsre treue klage gilt.

Vor allen aber strahlte von der Staufischen
Ahnmutter aus dem süden her zu gast
Gerufen an dem arm des schönen Enzio
Der Grösste Friedrich · wahren volkes sehnen ·
Zum Karlen- und Ottonen-plan im blick
Des Morgenlandes ungeheuren traum ·
Weisheit der Kabbala und Römerwürde
Feste von Agrigent und Selinunt.

PENTE PIGADIA

AN CLEMENS · GEFALLEN 23. APRIL 1897

Als ihn im kampf des Türken kugel warf
Am ölwald von Epirus: blieb der kummer
Nur uns um dieses blumenschweren frühlings
Zu rasche welke .. Ihn den liebling schonten
Geschicke mit der ärgsten qual: zu schleudern
An schranken und an öden vor dem end.
Sein abschied spürte ob verschlossner lande ·
Ob noch verhangnen glücks die süsse schwermut.

Er lag gefasst · nicht mehr nach heimkehr sinnend.
Ihm gab der rausch so wunderbar gebirge
Von Attika und pracht des Inselmeeres
Wie er sie nie gesehen hätte – brausend
Ward ihm das lob der helden offenbart
Von Pindars Hohem Lied und schwoll vereint
Mit eignem sange .. dann trifft den verlezten
Der sich nicht tragen kann ins herz ein schuss.

Um seine wiege war sorgloser glanz ·
Ihm reiften ruhm und huldigung · doch eitel
War ihm ein trachten ohne frommes tun ·
Er half zum dank für nie erschöpfte wonnen
Die Hellas schenkte – deren matten erben
Im kriege ... Jezt beschämt noch unsre söhne
Die sich in schaler lust für künftige ämter
Verstumpfen – seine wunde wie sein lorbeer.

Wir preisen ihn · froh dass des gottes volle
Die für das wort und die gestalt verscheiden
Die kalte erde immer noch gebiert
Und dass es rollt bei ihrer namen tone
In unsren adern wie ein edler wein
Und tage noch verheisst wo wir erwachen
Wie neu: wo uns gelöst von jedem band
Fern-dunkel locken und fahr-freude winkt.

DIE SCHWESTERN

SOPHIE VON ALENÇON
ELISABETH VON ÖSTERREICH

Wer sie gesehn: von echtem königtume
Das noch gebaren feiler gleichheit scheut
Vererbten glanz und acht und gnade hütend:
Empfing der hoheit schauer und den hauch
Von weh und wucht unfassbar der die niedren
Weit von sich wies ... So schritten sie in adel
Und stolz und trugen herrlicher als Andre
Bescholtne kronen ihr erlauchtes haar.

Die jüngste nach der brachen brautschaft trauer
Wo sie den strahlenden Unseligen streifte
Gewann die anmut der drei heiligen lilien
Und weilte still · ganz liebe und ganz lächeln.
Ihr los erfüllte sich am fest des mitleids . .
Schon gellte schrei · schon beizte rauch die augen ·
Man bot ihr rettung · doch sie sprach: ›lasst erst
Die gäste gehn!‹ und sank umhüllt von flammen.

Die andre war so dass sie tränen regte
Ehmals mit huld und jugend · dann mit huld
Und trübnis. Sie in volkes jauchzen stumm ·
Dem tagessinn unnahbar trug das rätsel
Verborgner ähnlung und verflackte schimmer
Mit sich von eben morgenroten welten:
Bis sie unduldbar leid zum meer zum land
Zum meer zum dolch hintrieb der sie erstach.

Doch war nicht all-erschreckend gieriges wüten
Vorsichtige sternenmilde? Beide litten
Grausamste furcht vor langsam greisem schwinden
Und wurden jäh erlöst in lezten jahren
Da noch · umschlungen von dem vollen leben ·
Ihr reiz bestrickte ... Oder war dies schönheit
In ihnen dass geheimer bann sie hemmte
Zu brechen mit vergilbtem schicksalspruch?

CARL AUGUST

Du weisst noch ersten stürmejahrs gesell
Wie du voll trotz am zaun den hagelschlossen
Hinwarfst den blanken leib auf den blauschwarz
Die trauben hingen? wie wir beide fuhren
Durch manche finstre bahn · von grausigem lager
Uns hoben und dann rein die dämmerung grüssten?
Wir stets um einen zarten blick in fieber
Bis uns ein tempelwort zum werk berief.

Spross deiner erde mit ergiebigem drang
Und lockerer tiefe der allein dem bund
Wo mancher zierde war nicht durfte fehlen ·
Mit dem verschollenen blinden folgermut
Der dient · nach ziel und eignem heil nicht fragend ·
Der schlicht von dannen geht sobald er fürchtet
Er tauge minder – dank und sold verschmäht
Und ohne ruhm ins dunkel untertaucht.

Dann spannte dich die pflicht – vielleicht ein wahn –
In hartes joch das deine jugend drückte ·
Als jeder seines gartens beste früchte
Einsammeln ging warst du gehemmt in fron.
Maasslos im opfer · sankst du immer tiefer
Ins martertum . . wo alle leichthin schlüpfen
Aus innrer fessel: sahst du dich verderben
Und ehrtest noch der frommen bindung fug.

Du darfst den tadlern rufen aus den trümmern:
Was tut wenn von den tausend einer mehr
Mit kargem pfunde wuchert · seine frachten
In sichre winkel birgt und weises redet:
Dieweil das mark das alle speist vermürbt!
Was gilt mein kleines leben das zerschellt
Am klippenrand · wenn aufrecht bleibt im wind
Von unsrem stamm die unverbrochne treue!

DIE TOTE STADT

Die weite bucht erfüllt der neue hafen
Der alles glück des landes saugt · ein mond
Von glitzernden und rauhen häuserwänden ·
Endlosen strassen drin mit gleicher gier
Die menge tages feilscht und abends tollt.
Nur hohn und mitleid steigt zur mutterstadt
Am felsen droben die mit schwarzen mauern
Verarmt daliegt · vergessen von der zeit.

Die stille veste lebt und träumt und sieht
Wie stark ihr turm in ewige sonnen ragt ·
Das schweigen ihre weihebilder schüzt
Und auf den grasigen gassen ihren wohnern
Die glieder blühen durch verschlissnes tuch.
Sie spürt kein leid · sie weiss der tag bricht an:
Da schleppt sich aus den üppigen palästen
Den berg hinan von flehenden ein zug:

›Uns mäht ein ödes weh und wir verderben
Wenn ihr nicht helft – im überflusse siech.
Vergönnt uns reinen odem eurer höhe
Und klaren quell! wir finden rast in hof
Und stall und jeder höhlung eines tors.
Hier schätze wie ihr nie sie saht – die steine
Wie fracht von hundert schiffen kostbar · spange
Und reif vom werte ganzer länderbreiten!‹

Doch strenge antwort kommt: ›Hier frommt kein kauf.
Das gut was euch vor allem galt ist schutt.
Nur sieben sind gerettet die einst kamen
Und denen unsre kinder zugelächelt.
Euch all trifft tod. Schon eure zahl ist frevel.
Geht mit dem falschen prunk der unsren knaben
Zum ekel wird! Seht wie ihr nackter fuss
Ihn übers riff hinab zum meere stösst.‹

DAS ZEITGEDICHT

Ich euch gewissen · ich euch stimme dringe
Durch euren unmut der verwirft und flucht:
›Nur niedre herrschen noch · die edlen starben:
Verschwemmt ist glaube und verdorrt ist liebe.
Wie flüchten wir aus dem verwesten ball?‹
Lasst euch die fackel halten wo verderben
Der zeit uns zehrt · wo ihr es schafft durch eigne
Erhizte sinne und zersplissnes herz.

Ihr wandet so das haupt bis ihr die Schönen
Die Grossen nicht mehr saht – um sie zu leugnen
Und stürztet ihre alt- und neuen bilder.
Ihr hobet über Körper weg und Boden
Aus rauch und staub und dunst den bau · schon wuchsen
In riesenformen mauern bogen türme –
Doch das gewölk das höher schwebte ahnte
Die stunde lang voraus wo er verfiel.

Dann krochet ihr in höhlen ein und riefet:
›Es ist kein tag. Nur wer den leib aus sich
Ertötet hat der lösung lohn: die dauer.‹
So schmolzen ehmals blass und fiebernd sucher
Des golds ihr erz mit wässern in dem tiegel
Und draussen gingen viele sonnenwege . .
Da ihr aus gift und kot die seele kochtet
Verspriztet ihr der guten säfte rest.

Ich sah die nun jahrtausendalten augen
Der könige aus stein von unsren träumen
Von unsren tränen schwer .. sie wie wir wussten:
Mit wüsten wechseln gärten · frost mit glut ·
Nacht kommt für helle – busse für das glück.
Und schlingt das dunkel uns und unsre trauer:
Eins das von je war (keiner kennt es) währet
Und blum und jugend lacht und sang erklingt.

GESTALTEN

DER KAMPF

Trunken von sonne und blut
Stürm ich aus felsigem haus ·
Laur ich in duftender flur
Auf den schönlockigen gott
Der mit dem tanzenden schritt
Der mit dem singenden mund
In meiner gruft mich verhöhnt.

Heute kenn er die wut
Die sich aus tiefen gebiert!
Meine umklammernde faust
Würgt seinen rosigen leib.
Sieh wie er schreitet · ein kind!
Weg mit der keule – ein griff
Senkt den gehassten zu grund.

Wahre dich! ... Weh mir · wie trifft
Aus seinem auge mich licht!
Drunten im höhlengefecht
Dunkel rauchender glut
War ich sieger der schar ...
Halte Feiger den blitz ·
Zeig mit dem arm deinen mut!

Weh! sie kämpfen mit licht.
Den er fasset der fällt.
Stampfend sezt er den fuss
Auf meine keuchende brust.
Lächelnd singt er sein lied ...
Trunken von sonne und blut
Sink ich in ruhmlosen tod.

DIE FÜHRER

DER ERSTE

Ich schaute viele auf geschmücktem wagen
Halbnackt in gold- und farbigem geschnüre
Die sprechend lachend sassen oder lagen.

Und Einer nackt vom scheitel bis zur zehe
Stand da am weg bis dies vorüberführe
Und lief dann mit dass es ihm nicht entgehe.

Er jubelnd kreisend eilte um die wette
Und auf der ganzen bahn hin alle schreiter
Schlossen sich an und machten mit ihm kette.

Sie kamen unter tanz und sang und sprunge
Stets dem gefährte wieder bei und weiter
Mit wildem jauchzen und unbändigem schwunge.

DER ZWEITE

Die höfe waren voll betrieb und drauss
Ging der mit maass und zirkel ums gebälk ·
Der steckte auf das dach den bänderstrauss.

Die trieben ihre pferde durch mit schrei'n ·
Die luden waren auf: sie schauten drein
Doch hatten ihre augen keinen glanz.

In einem garten war ein fest im gang ·
Sie sangen – viele weiber sangen mit
Doch war ihr lied und lachen ohne klang.

Und Einer ging und warf das haupt empor
Und stand dann betend wo vorm abendtor ·
Der war ein jüngling noch und trug den kranz.

DER FÜRST UND DER MINNER

DER FÜRST

Schon weil du bist
Sei dir in dank genaht.

Die überragend welten baun im sinn
Die reiche kneten · stapfend durch das land ·
Sie können dich wol küren doch nicht schaffen:
Gebieter du im innren glanz der krone
Geworden in den hallen steter ehrung
Durch die du güldnen prunks · von frühauf schauend
Und meinend nicht wie andre und nicht rührend
Woran sie rühren · gingst in stolz und huld.
Die Starken und die Weisen knien vor dir
Die du entzückst und durch dein lächeln lenkst ·
Sie holen gnade die nur du verleihst
Für die der ahn dich formte: deine schlanken
Gesalbten hände daraus heiltum trieft
Wenn sie berühren: dein erleuchtet auge
Das freude sendet durchs bemühte volk.

DER MINNER

›In diesem blicke wohnt das fromme wähnen
Die sehnsucht nach erspähtem bild:
Des sonntags trauer wohnt in diesem blick.‹

Wen werden opfer reuen · tier und frucht ·
Dass sie nicht halfen in der menschen dienst
Und bei der feier rauchten vom altar? . . .
Vom fenster seh ich rühriges gedräng
Mit schwachen klängen sich verstreun · den purpur
Westwärts ergrauen . . meinen Glücklichen
Und Heitren send ich mit dem südwind träume.
Da rufen drunten die vorübergehn:
›Nun da der werktag naht wirst du die brüder
Zum kampfe treiben · städte bauen müssen
Und starke söhne nach dem erbe leiten.
Für jeden kommt begierde nach der ernte . . .‹
Ich leide · doch ich lobe was geschehn.
Im rausch des festes hab ich meinen hauch ·
Dass er euch süss umschwebt und grüsst · verweht ·
Mein ganzes blut im abend hingeströmt
Für euch Geliebte – o all ihr Geliebten!

MANUEL UND MENES

Ich merkte dass ein grösserer als ich
Erstanden war im wechsel der geschicke . . .
Manuel II. 2

MENES:

Seit jener nacht wo du vor uns erschienst
Hat mir ein blitz den weg zugleich enthüllt
Der vor mir liegt und der durchlaufen war.
Dir gab geburt den stab um den ich stritt ·
Die huld · für noch so kühn versprechen bürge ·
Den ölzweig der mit reinem segen hilft . .
Ich hiess – vertröstend sie auf deinen tag –
Des bundes mannen ihre wehr begraben.
Mein planen · heisser eifer · trotz und bängnis ·
Rastloser monde mühevolle fahrt ·
Die nahe reife meines führertumes –
Verfallen war all dies bei deinem schwur.
Als der verzicht mein herz zu brechen drohte
Sah ich auf dich und wurde stark und heil.
Es rief · es überkam mich süss und weh:
Jed alter · hingeschwunden doch nicht tot ·
Geht ein ins nächste: so mein tun in deins.
Genossen die den arm mir warnend pressten
Verliess ich schnell. Dein ist die macht. Befiehl!

MANUEL:

Durch diesen sichern sieg den du erfochten
Bist du voraus mir · teilst du nun mein werk.
Ward dir ein lenker neu: ward mir ein wächter.
Komm nah! Wir haben uns erkannt am zeichen.
Der würden räuber folgt nur seiner hand ·
Den echten sprossen führt die einzige stimme.
Ich Herr · du Helfer – wir sind gleich geweiht.

ALGABAL UND DER LYDER

Das gleichgewicht der ungeheuren wage

ALGABAL:

Nicht freut was tausendarmig heer mir bringt ·
Was je durch tore fuhr an last des glücks –
So oft wir atmen rückt der grausige feind ·
Jed glühn verdunkelnd · trübend jeden kelch ·
Uns trittweis näher und ihn hemmt kein spruch . .

Dann wieder möcht ich vor dem gartenrand
Den tag der heut im meer nicht sinken will ·
Den schleicher · töten – oder lieg im pfühl
Und warte · zähle . . mit bemühter hast
Die kargen stunden treibend nach dem end.

DER LYDER:

Ihr freunde mögt mit euren leibern prahlen ·
Sie ohne mich gewandt im morgen tummeln ·
In eurem niedren los von nächten rühmen
Wo ihr von lüsten zittertet · wo schauer
Euch trafen dass ihr euch mit göttern maasset.

Mir ist nur eines wahr: begier und rasen
Nach dem Unnahbarn das der mond mir zuwarf –
Kein schmerz der wühlt und währt wie dies verlangen!
Ich weiss dem licht nicht dank.. komm lezte wonne
Im eignen lauen blut den brand zu kühlen!

KÖNIG UND HARFNER

HARFNER:

Wie vor das antlitz du den mantel zogst
Gewahrt ich dass du eine träne bargest
Und einen · Herr · mir nicht gewognen wink .
Wenn du auch heut zu deinem knecht nicht redest:
Um ihn kannst du nicht zürnen den du hiessest
Mit seinem sang nicht mehr von dir zu weichen . . .
So murrte wieder undankbares volk?
Bedrohn die stolzen priester dich? Nun weiss ichs:
Den sieg missgönnt der eifersüchtige gott.

KÖNIG:

Da du in meiner schande mich belauert –
So hör was dir nicht frommt: mehr als die feinde
Die du genannt und die ich all bestehe
Vernichtet mich der lieben will: du selbst.
Nun trag auch du dein teil das keiner ändert:
Den ich nicht missen mag und den ich hasse
Und der nicht weiss wie er mit gift mich füllt.
Mein schwert mein schild · von fürchterlichem saft
Noch klebrig · klopfst du an dass es dir klirre.
Ins wasser wirfst du dass es tanzt und ringelt
Geschoss wie ich es zum verhängnis wähle.
Die früchte meiner felder – siedend mühsal
Der langen sommer – gehst du achtlos schütteln
Und kühlst mit einer dir den satten mund.
Dir dienen fieberqualen meiner nächte
Um sie in ton und lispeln zu verwehn.
Mein heilig sinnen drob ich mich verzehre
Zerschellst du in der luft zu bunten blasen
Und schmilzest mein erhabnes königsleid
In eitlen klang durch dein verworfen spiel.

SONNWENDZUG

Schwüle drückt auf uns im saal von lichtern
Und von rauchenden becken ·
Elfenbeinern starren unsre leiber –
In die gluten und schatten
Langen feiertags getaucht · in zierden
Die aus hangenden bögen
Wand und boden triefen · aus den flöten
Und balsamischem wein.
Da durchsprengt ein nachtwind alle fenster ·
Unsre fackeln verlöschen ·
Süsse schauder recken uns die haare ·
Wir verlassen die becher ·
Schleppen über estrich hin und strasse
Die zerrissenen kränze ·
Brechen durch das stadttor in die dörfer
Unter klingendem tanze ·
Sehn die flur im brünstigen morgen rege
Von den scharen der mähder
Hirten pflanzer – stürzen nackt entgegen
Ihren strotzenden kräften ·
Haften unsren hellen blick des traumes
In die nährenden blicke
Scheuen tiers die staunen und nur langsam
An der glut sich entzünden ·
Blanke glieder hängen sich und schlingen
Um die sehnigen braunen
Fest wie ranken um die mutterbäume ·
Das gedränge verwirbelt
Nass von scholle und gestampftem grase
Mit dem staub der gesäme.
Ruf von lust und grausen hallt im haine
Vom beginnenden jagen ·

Zitternd tasten hände noch nach locken
Da verdurstet schon manche
Heiss von fang und flucht · besprizt vom safte
Ausgequollener früchte ·
Blut und speichel harter lippen trinken
Und auf qualmigen garben
Andre wechselnd beide blumen küssen
Auf der brust den Gewählten.

HEXENREIHEN

Wir lachen eures wahnes ·
Geschlechter falschen spanes ·
Ihr augen blöd und blau
Seht nur den tag voll trug –
Die unsern nächtig glau
Erspähn den innern fug.

Euch ist die haut nur kund –
Wir wissen tausend namen
Von wind- und wolkenschub
Vom heer im wassergrund
Von tausend dunklen samen
Die finsternis vergrub.

Uns ist der tanz im krampfe ·
In wülsten und gekrös
Sind uns die leiber schön.
Duft ist im moderdampfe.
Im wirbelnden getös
Vernehmen wir getön.

Wir giessen in den schlot
Von dem meerfarbnen most:
Da taucht aus erdenriefen
Da fliegt aus sternentiefen
Zu uns von west und ost
Was lebend ist und tot.

Wir schütteln unser sieb
Bis durch was euch gemein
Von allen schätzen trieb ·
Was haften bleibt am boden
Ist ein gebild von stein
Wie eines tieres hoden.

Euch stach man nie den star ·
Ihr wandelt blöd und dumpf.
Wir feiern fest am sumpf
Am wasen der kafiller . .
Im giftigen fosforschiller
Sehn wir das wesen klar.

TEMPLER

Wir eins mit allen nur in goldnem laufe –
Undenkbar lang schied unsre schar der haufe ·
Wir Rose: innre jugendliche brunst
Wir Kreuz: der stolz ertragnen leiden kunst.

Auf unbenamter bahn in karger stille
Drehn wir den speer und drehn die dunkle spille.
In feiger zeit schreckt unsrer waffen loh'n ·
Wir geisseln volk und schlagen lärm am thron.

Wir folgen nicht den sitten und den spielen
Der andren die voll argwohn nach uns schielen
Und grauen wenn ihr hass nicht übermannt
Was unser wilder sturm der liebe bannt.

Was uns als beute fiel von schwert und schleuder
Rinnt achtlos aus den händen der vergeuder
Und deren wut verheerend urteil spie
Vor einem kinde sinken sie ins knie.

Der augen sprühen und die freie locke
Die einst den herrn verriet im bettelrocke
Verschleiern wir dem dreisten schwarm verschämt
Der unsre schatten erst mit glanz verbrämt.

Wie wir gediehn im schoosse fremder amme:
Ist unser nachwuchs nie aus unsrem stamme –
Nie alternd nie entkräftet nie versprengt
Da ungeborne glut in ihm sich mengt.

Und jede eherne tat und nötige wende:
Nur unser – einer ist der sie vollende –
Zu der man uns in arger wirrsal ruft
Und dann uns steinigt: fluch dem was ihr schuf't!

Und wenn die grosse Nährerin im zorne
Nicht mehr sich mischend neigt am untern borne ·
In einer weltnacht starr und müde pocht:
So kann nur einer der sie stets befocht

Und zwang und nie verfuhr nach ihrem rechte
Die hand ihr pressen · packen ihre flechte ·
Dass sie ihr werk willfährig wieder treibt:
Den leib vergottet und den gott verleibt.

DIE HÜTER DES VORHOFS

Ich liess euch erst erziehn auf magrer scholle ·
In suchen Fiebernde · in leid Vergrabne ·
Dass sehnsucht euch durch alle adern rolle:
Die kinder reift in Fromme und Erhabne.

Dann gab ich euch voll rosen und voll reben
Ein üppig sonnenland zu kurzer leihe
Damit ihr himmel säht und höchstes weben
In hiesiger tage glanzumwobner reihe.

So wuchs in euch die würde und die ferne
Die · wartend · nie nach niedrer gabe tastet . .
So mehrt ich eure glut im innren kerne ·
Dass ihr das wahre bild am reinsten fasstet.

So nahmt ihr volle helle zum verklären:
Die stirn die ihr mit wein und lorbeer höhtet ·
Den wegrand blitzend von demantnen ähren ·
Das alte tal vom zauber angerötet.

Ihr bringt der aufgeklafften erde sühne
Der gier und wahn zerwühlten die geweide.
Ihr macht dass sie sich schliesse · wieder grüne . .
Und nackter tanz beginnt auf junger heide.

Durch jede muschel späht ihr kühnen schwimmer
Und aller felder seltne saat gewahret
Ihr Wachen die ihr jeden holden schimmer
Auffanget und für ewige zeiten sparet.

Ihr seid des zeichens dass von haft behindert
In rauhen mauern · dass in gleiss und sammet –
Wenn auch bei allen – nie bei euch vermindert
Erinnerung wie ihr von göttern stammet.

DER WIDERCHRIST

›Dort kommt er vom berge · dort steht er im hain!
Wir sahen es selber · er wandelt in wein
Das wasser und spricht mit den toten.‹

O könntet ihr hören mein lachen bei nacht:
Nun schlug meine stunde · nun füllt sich das garn ·
Nun strömen die fische zum hamen.

Die weisen die toren – toll wälzt sich das volk ·
Entwurzelt die bäume · zerklittert das korn ·
Macht bahn für den zug des Erstandnen.

Kein werk ist des himmels das ich euch nicht tu.
Ein haarbreit nur fehlt und ihr merkt nicht den trug
Mit euren geschlagenen sinnen.

Ich schaff euch für alles was selten und schwer
Das Leichte · ein ding das wie gold ist aus lehm ·
Wie duft ist und saft ist und würze –

Und was sich der grosse profet nicht getraut:
Die kunst ohne roden und säen und baun
Zu saugen gespeicherte kräfte.

Der Fürst des Geziefers verbreitet sein reich ·
Kein schatz der ihm mangelt · kein glück das ihm weicht . .
Zu grund mit dem rest der empörer!

Ihr jauchzet · entzückt von dem teuflischen schein ·
Verprasset was blieb von dem früheren seim
Und fühlt erst die not vor dem ende.

Dann hängt ihr die zunge am trocknenden trog ·
Irrt ratlos wie vieh durch den brennenden hof . .
Und schrecklich erschallt die posaune.

DIE KINDHEIT DES HELDEN

Gram dem spiel von freund und schwester
Sprengt er einsam über schluchten ·
Felsen-an die drohend wuchten
Hebt er aus der geier nester.

Nur ein schurz um brust und schenkel ·
Hoch das haupt vom wind umstrichen
Steht er da und spannt den sprenkel
Auf das tier das er umschlichen.

Ungelehrt erschallt sein klares
Singen durch die wüsteneien ·
Spielt zum jauchzen der schalmeien
Flattern seines hellen haares.

Schlafend trifft er ungeheuer ·
Kämpft von reichgeschirrtem pferde
Und den mund voll abenteuer
Kehrt er selten heim zum herde.

Von dem bad in eisiger quelle
Von der rast in sonniger flur
Ist er ganz vom braun der felle ·
Nur sein aug ist von azur.

———

Männer die die schulter rücken
Hinter ihm · ihn schmähn und schelten
Werden einst vor seinen zelten
Sich in angst und ehrfurcht bücken

Zieht er siegend durch die länder . .
Zitternd wanken sie durch gleissen
Seiner waffen beuten pfänder ·
Sinken nieder ungeheissen –

Stirn und bart bestreut mit russ –
Vor den blicken die versengen ·
Flehn um gnade den Gestrengen ·
Lecken ihm den staub vom fuss.

DER EID

›Schreitet her und steht um mich im rund
Die ich auserkor zum bund:
Dich aus kerkern flüchtig · leichenfarb ·
Dich der an dem weg verdarb ·
Den ich vor dem sturz am haare griff ·
Der sich selbst die klinge schliff –
Wilde kräfte vom geschick gehemmt ·
Edle saat durchs land verschwemmt.‹

Wir gebunden durch den stärksten kitt
Als der stahl die arme schnitt ·
Einer von des andren blut genoss ·
Gleiche flamme in uns schoss . . .
Unser glück begann mit deiner spur.
›Mächtig ich durch euren schwur.‹
Wir die durch dein atmen glühn und blühn.
›Ich von eurem marke kühn.‹

Du nur kennst das ziel das vor uns blizt ·
Trägst es in metall gerizt.
Deinen bräuchen fügen wir uns streng ·
Wir gehärtet im gemeng.
Lenker auf den wegen UNSRER not ·
Nenn dein dunkelstes gebot!
Pflüge über unsre leiber her:
Niemals mahnt und fragt dich wer!

›Durch verhüllte himmel seh ich schon
Die vollendung und den lohn.
Unsre feinde sind zum kampf gereiht.
Meine söhne rufen streit.
Boden hilft den händen die ihm traut ·
Himmel schadet wo ihm graut.
Keine schar zu dicht · kein wall zu steil!
Meine söhne rufen heil.‹

EINZUG

Voll ist die zeit ·
Weckt was gefeit
Schlief mit dumpfem gegrolle.
Jahrnächte lang
Unsichtbar schlang
Nichtig dursten der scholle:

Grausam geheiss
Tod-nahen schweiss
Ohnmachtschrei der Besessnen ·
Hilflose qual
Fluchwürdig mal
Sterbend flehn der Vergessnen.

Boden zerriss
Hülle zerspliss
Same drängte zu sonnen.
Die ihr entfuhrt
Dunkler geburt
Euer reich hat begonnen.

Spreng aus der kluft!
Schrecke die luft
Leuchtender heere geschmetter!
Rachlieder schnaubt
Senget und raubt
Tötet und sichtet · ihr Retter!

Trocknes und meer
Teilet ihr quer
Öden neu zu befelden.
Keimwolken streut
Lenzblüte beut
Sturm und feuer der Helden.

GEZEITEN

Wenn dich meine wünsche umschwärmen
Mein leidender hauch dich umschwimmt –
Ein tasten und hungern und härmen:
So scheint es im tag der verglimmt
Als dränge ein rauher umschlinger
Den jugendlich biegsamen baum ·
Als glitten erkaltete finger
Auf wangen von sonnigem flaum.

Doch schliessen die schatten sich dichter
So lenkt der gedanke dich zart.
Dann gelten die klänge und lichter ·
Dann ist uns auf unserer fahrt:
Es schüttle die nacht ihre locken
Wo wirbel von sternen entfliegt ·
Wir wären von klingenden flocken
Umglänzt und geführt und gewiegt.

Mich hoben die träume und mären
So hoch dass die schwere mir wich –
Dir brachten die träume die zähren
Um andre um dich und um mich ...
Nun wird diese seele dir lieber
Die bleiche von duldungen wund ·
Nun löscht sein verzehrendes fieber
Mein mund in dem blühenden mund.

Für heute lass uns nur von sternendingen reden!
Ich möchte jauchzen · doch ich bin vom wunder bleich:
Der weisheit schüler löst das rätselwort der Veden
Und bricht des blinden nacht mit einem fingerstreich ·
Mit unbewusster würde trägt ein kind vom eden
Das kleinod köstlicher als manches königreich.

Stern der dies jahr mir regiere!
Der durch des keim-monats wehende fehde
Von einem heiteren sommer mir rede
Und auch mit blumen die ernte verziere ..
Dass sich in lächelndem schimmer verliere
Ernster beladener tage getöse ·
Heimliche weisheit durch fahrvolle böse
Überfinsterte wege mich rette ·
Meine schweifenden wünsche kette
Und meine ängstenden rätsel mir löse!

Lag doch in jenen schenkenden nächten
Deine wange schon auf meinen knieen
Wenn sich die zitternden melodieen
Rangen empor aus dumpf hallenden schächten!
Folgtest dem spiel von sich streitenden mächten:
Meiner geschicke vergangene gnade
Und meine leiden am fernen gestade
Bis zu der frühwolken rosigem klären ..
Wie auf der schwester verschlungene mären
Lauschte die liebliche Doniazade.

UMSCHAU

Mit den gedanken ganz in dir seh ich als andre
Gemach und stadt und silbrige allee.
Mir selber fremd bin ich erfüllt von dir und wandre
Verzückt die nächte überm blauen schnee.

Was je versprachen glutumsäumte firmamente
Der üppigen sommer – ward dies ganz gewährt? . .
So steht und presst den eignen arm der langgetrennte
Den heimat grüsst und der noch zweifel nährt.

Der taumel rinnt in mildes minnen für den warter
Dem jeder schlummer webt ein hold gespinn ·
Von dir die kleinste ferne bringt ihm süsse marter
Und ungenossner freuden anbeginn.

Du liessest nach im staunen willig niedersinkend
Erstöhnend vor dem jähen überfluss ·
Du standest auf in einer reinen glorie blinkend ·
Du warst betäubt vom atemlosen kuss.

Und eine stunde kam: da ruhten die umstrickten
Noch glühend von der lippe wildem schwung ·
Da war im raum durch den die sanften sterne blickten
Von gold und rosen eine dämmerung.

SANG UND GEGENSANG

SANG

In zittern ist mir heut als ob ich in dir läse
Bei unsrem glück noch viel von fremdem geist . .
Als gälte dir für schaum und flüchtiges gebläse
Was mir den atem schwellt · in adern kreist.

Was sich für dich verströmt kannst du nicht in dich saugen?
Befreie mich von meiner lauten angst!
War das vielleicht Mein blick – der deiner toten augen?
War das Mein hauch als du gebrochen sangst?

GEGENSANG

Dir gibt ersterbender und sanfter klang
Von einer hier Versunknen kunde:
Ein dumpfes gurgeln unterdrückt vom tang
Quillt spät empor aus dunkler schrunde.

Vielleicht dass hier vom glühwurm ein geschwirr
Und eine blume blank und schmächtig
Dich locken mag der du des weges irr
Gern etwas weilest müd und nächtig.

Vielleicht dass eine trübe melodei
Und dieses zuckende geschwele
Dich rühren mag und dich nicht lässt vorbei
Am kerker der versunknen seele.

Betrübt als führten sie zum totenanger
Sind alle steige wo wir uns begegnen
Doch trägt die graue luft im sachten regnen
Schon einen hauch mit neuen keimen schwanger.
In dünnen reihen ziehen bis zum schachte
Erfüllt mit falbem licht die welken hecken
Wie wenn sich viele starren hände recken
Und jede eine zu umschlingen trachte . .
Der seltnen vögel klagendes gefistel
Verliert sich in den gipfeln kahler eichen ·
Nur ein geheimnisvoll lebendiges zeichen
Umfängt den schwarzen stamm: die grüne mistel.
Dass hier vor tagen wol verlockend schaute
Ein kurzer strahl aus nässe-kaltem qualme
Verraten auf dem grund die blassen halme:
Das erste gras . . und zwischen dürrem kraute
In trauergruppen dunkle anemonen.
Sie neigen sich bedeckt mit silberflocken
Und hüllen noch mit ihren blauen glocken
Ihr innres licht und ihre goldnen kronen
Und sind wie seelen die im morgengrauen
Der halberwachten wünsche und im herben
Vorfrühjahrwind voll lauerndem verderben
Sich ganz zu öffnen noch nicht recht getrauen.

Du sagst dass fels und mauer freudig sich umwalden
Und führst mich wie durch dumpfen trümmerfall.
Mir klingen sterbeglocken von den heitren halden ·
Du singst ein lied im blüten-überschwall.

Sie die nicht bleiben wollten und doch weinend schieden
Umschweben mich indess du lächelnd schaust..
O kehren wir zurück da mir im mittagsieden
Vor der entfachten qual geständnis graust!

Schon schwindet mir die kraft im schweigen zu verbluten
Dass du zum heil dir · mir zum tod dich trogst..
Ich will noch länger dankbar sein für die minuten
Wo du mir schön erschienst und mich bewogst...

Lebwohl! du wirst nicht sehen wenn in schmerz und schwäche
Mein blick sich feucht geblendet senkt und schliesst
Und wenn die sonne hinter der entseelten fläche
Im stumpfen blau ihr tiefes gold vergiesst.

Trübe seele – so fragtest du – was trägst du trauer?
Ist dies für unser grosses glück dein dank?
Schwache seele – so sagt ich dir – schon ist in trauer
Dies glück verkehrt und macht mich sterbens krank.

Bleiche seele – so fragtest du – dann losch die flamme
Auf ewig dir die göttlich in uns brennt?
Blinde seele – so sagt ich dir – ich bin voll flamme:
Mein ganzer schmerz ist sehnsucht nur die brennt.

Harte seele – so fragtest du – ist mehr zu geben
Als jugend gibt? ich gab mein ganzes gut . .
Und kann von höherem wunsch ein busen beben
Als diesem: nimm zu deinem heil mein blut!

Leichte seele – so sagt ich dir – was ist dir lieben!
Ein schatten kaum von dem was ich dir bot . .
Dunkle seele – so sagtest du – ich muss dich lieben
Ist auch durch dich mein schöner traum nun tot.

DER SPIEGEL

Zu eines wassers blumenlosem tiegel
Muss ich nach jeder meiner fahrten wanken.
Schon immer führte ich zu diesem spiegel
All meine träume wünsche und gedanken
Auf dass sie endlich sich darin erkennten –
Sie aber sahen stets sich blass und nächtig:
›Wir sind es nicht‹ so sprachen sie bedächtig
Und weinten wenn sie sich vom spiegel trennten.

Auf einmal fühlt ich durch die bitternisse
Und alter schatten schmerzliches vermodern
Das glück in vollem glanze mich umschweben.
Mir däuchte dass sein arm mich trunknen wiegte ·
Dass ich den stern von seinem haupte risse
Und dann gelöst mich ihm zu füssen schmiegte.
Ich habe endlich ganz in wildem lodern
Emporgeglüht und ganz mich hingegeben.

Ihr träume wünsche kommt jezt froh zum teiche!
Wie ihr euch tief hinab zum spiegel bücket!
Ihr glaubt nicht dass das bild euch endlich gleiche?
Ist er vielleicht gefurcht von welker pflanze ·
Gestört von späten jahres wolkentanze?
Wie ihr euch ängstlich aneinander drücket!
Ihr weint nicht mehr doch sagt ihr trüb und schlicht
Wie sonst: ›wir sind es nicht! wir sind es nicht!‹

So holst du schon geraum mit armen reffen
Dir meine gaben und du schwelgst im vollen.
Von tausend namen die für dich erschollen
Von allen küssen die geheim dich treffen

Erfährst du nichts – und trennst nicht in zu junger
Gefolgschaft waffenspiel von wahren siegen ·
Nach kurzem fest seh ich dich froh entfliegen.
Wie andren: ›maass‹ so ruf ich dir: ›mehr hunger!‹

Die angst nur ziemt: dass für die uns gewährte
Glückseligkeit wir keim und nähre speichern
Um andre – nie uns selber zu bereichern
Und süsses licht verblasst und sichre fährte.

DANKSAGUNG

Die sommerwiese dürrt von arger flamme.
Auf einem uferpfad zertretnen kleees
Sah ich mein haupt umwirrt von zähem schlamme
Im fluss trübrot von ferner donner grimm.
Nach irren nächten sind die morgen schlimm:
Die teuren gärten wurden dumpfe pferche
Mit bäumen voll unzeitig giftigen schneees
Und hoffnungslosen tones stieg die lerche.

Da trittst du durch das land mit leichten sohlen
Und es wird hell von farben die du maltest.
Du lehrst vom frohen zweig die früchte holen
Und jagst den schatten der im dunkel kreucht ..
Wer wüsste je – du und dein still geleucht –
Bänd ich zum danke dir nicht diese krone:
Dass du mir tage mehr als sonne strahltest
Und abende als jede sternenzone.

ABSCHLUSS

Wenn nach erloschnen gluten auch die farbe
Der erde wechselt sich mit staub belegend ·
Und trägt auch jedes in getrennte gegend
Seine schwermut und gesteht: ich darbe . .

Und wird der innre ruf zu dir auch leiser –
Ich fühle stets: ich muss mich nach dir neigen ·
Dein ist mein tag zuerst · ich bin dir eigen
Und um uns stehn vom frühling her die reiser.

Wohl kommt ein andrer duft aus weichem flachse
Des grases und aus silbrig welkem blatte:
Erinnerung an fluss und fels und matte
Weckt nur den wunsch für dich: sei froh und wachse!

Und lockt es dumpf dass ich nach dem zerknittern
Der falben reste bald an fremder stätte
Die freiheit oder neue freuden hätte:
So dringt wie zum verwandten blut ein zittern ·

So denk ich dieses nun schon langen stückes
Vereinter fahrt und dieser starken schlingen
Die uns unlöslich insgeheim umfingen
Und meiner frühern qual und deines glückes.

Das lockere saatgefilde lechzet krank
Da es nach hartem froste schon die lauern
Lenzlichter fühlte und der pflüge zähne
Und vor dem stoss der vorjahr-stürme keuchte:
Sei mir nun fruchtend bad und linder trank
Von deiner nackten brust das blumige schauern
Das duften deiner leichtgewirrten strähne
Dein hauch dein weinen deines mundes feuchte.

Da waren trümmer nicht noch scherben
Da war kein abgrund war kein grab
Da war kein sehnen war kein werben:
Wo eine stunde alles gab.

Von tausend blüten war ein quillen
Im purpurlicht der zauberei.
Des vogelsangs unbändig schrillen
Durchbrach des frühlings erster schrei.

Das war ein stürzen ohne zäume
Ein rasen das kein arm beengt –
Ein öffnen neuer duftiger räume
Ein rausch der alle sinne mengt.

Das kampfspiel das · wo es verlezt · nur spüret
Wenn sich ein schluchzend haupt verbirgt im schooss –
Das solang prüfend greift bis es zerschnüret:
    Wird nun im traume gross.

Der wilde kuss gleich duldend wie versehrend ·
Nach fluten dürstend die unschöpfbar sind ·
Im grauen der vernichtung sich verzehrend:
    Wird nun im traume lind.

Das scheiden in der nacht das alles bittre
Lang fühlen lässt · wo ich dich schau und grüss
Als fremder fast und schweigen muss und zittre:
    Wird nun im traume süss.

Was ist dies fremde nächtliche gemäuer?
Verschlungne gänge die uns dicht umbuschen?
Gestalten fühl ich · schemen um mich huschen
Von einem früheren ungeberdigen feuer.

Sie drängen sich an mich und quälen mich.

In all der sommerstunden glühender dürre
Hast du sie festgebannt in diese schwüle
Und ruhen lassen auf verborgnem pfühle
Mit einer spende rest von wein und myrrhe.

Sie weilen noch · der erste frühwind strich . .

Sie harrten wohl bevor sie ganz zerschellten
Bis ich besuchte diese gartengründe ·
Dass ich von ihrem odem mich entzünde
Dieweil sie ihrem schöpfer nichts mehr gelten:

Als schatten wirkend da das wesen wich.

Wieviel noch fehlte dass das fest sich jähre
Als schon aus einer gelben wolke frost
In spitzen körnern niederfiel! .. So sprosst
Denn keine unsrer saaten ohne zähre?

Für allen heftigen drang und zarten zwist ·
So gilt für alle lust die uns erhöhte
Für alle klagen und beweinten nöte
Der eine sonnenumlauf nur als frist.

Herüberhingen schwellend und geklärt
Die traubenbündel an den stöcken gestern ·
Die nun zu most der lang im dunkel gärt
Zerstossen werden und zu schalen trestern.

Muss mit den ernten auch dies glück verfalben ·
Verlieren zier um zier mit halm und strauch
Und unaufhaltsam ziehen mit den schwalben ·
Verwehen spurlos mit dem sommerrauch?

Nun lass mich rufen über die verschneiten
Gefilde wo du wegzusinken drohst:
Wie du mich unbewusst durch die gezeiten
Gelenkt – im anfang spiel und dann mein trost.

Du kamst beim prunk des blumigen geschmeides ·
Ich sah dich wieder bei der ersten mahd
Und unterm rauschen rötlichen getreides
Wand immer sich zu deinem haus mein pfad.

Dein wort erklang mir bei des laubes dorren
So traulich dass ich ganz mich dir befahl
Und als du schiedest lispelte verworren
In seufzertönen das verwaiste tal.

So hat das schimmern eines augenpaares
Als ziel bei jeder wanderung geglimmt.
So ward dein sanfter sang der sang des jahres
Und alles kam weil du es so bestimmt.

FLAMMEN

Was machst du dass zu höherem gerase
Uns immer fernres fremdres wehn umblase?

Wenn kaum wir eine weil in stille flacken
Treibt uns ein neuer mund zu lohen zacken ·

Dass schräger brand zerfurcht die blanken barren
Die heissen tropfen kaum in perlen starren ·

Dass unsre kraft in überwallendem sode
Rinnt auf metall und grund zu schnellem tode . .

›Was oft und weither euch als hauch betroffen
Schwoll von den gleichen und geheimen stoffen

Durch die ihr brennt‹ – der Herr der fackeln sprichts –
›Und so ihr euch verzehrt seid ihr voll lichts.‹

WELLEN

Ihr wellen bracht euch erst an blauen kieseln
Im waldestal wo sich die wege zwieseln.

Als bäche rolltet ihr durch sonniges land ·
Verspriztet weinend am umgrünten strand.

Dann hat euch unter blitz und eisigen schlossen
Der fluss zur grossen flut hinausgestossen.

Am myrtenfels habt ihr euch wild gebäumt ·
Auf unfruchtbarem sand seid ihr verschäumt.

Ihr spültet mit perlmutterfarbne leiber ·
Ihr waret glückerfüllter lasten treiber ·

Bis euch der sturm in weite öden jug ·
An riff und klippe gellend euch zerschlug.

Nun werdet ihr in unsichtbarem schlunde
Dahin gewälzt nicht wissend mehr von stunde

Von trieb und ziel · nicht mehr von wind und lee
Als uferlose ströme durch die see.

LOBGESANG

Du bist mein herr! wenn du auf meinem weg ·
Viel-wechselnder gestalt doch gleich erkennbar
Und schön · erscheinst beug ich vor dir den nacken.
Du trägst nicht waffe mehr noch kleid noch fittich
Nur Einen schmuck: ums haar den dichten kranz.
Du rührest an – ein duftiger taumeltrank
Befängt den sinn der deinen odem spürt
Und jede fiber zuckt von deinem schlag.
Der früher nur den Sänftiger dich hiess
Gedachte nicht dass deine rosige ferse
Dein schlanker finger so zermalmen könne.
Ich werfe duldend meinen leib zurück
Auch wenn du kommst mit deiner schar von tieren
Die mit den scharfen klauen mäler brennen
Mit ihren hauern wunden reissen · seufzer
Erpressend und unnennbares gestöhn.
Wie dir entströmt geruch von weicher frucht
Und saftigem grün: so ihnen dunst der wildnis.
Nicht widert staub und feuchte die sie führen ·
Kein ding das webt in deinem kreis ist schnöd.
Du reinigst die befleckung · heilst die risse
Und wischst die tränen durch dein süsses wehn.
In fahr und fron · wenn wir nur überdauern ·
Hat jeder tag mit einem sieg sein ende –
So auch dein dienst: erneute huldigung
Vergessnes lächeln ins gestirnte blau.

MAXIMIN

KUNFTTAG I

Dem bist du kind · dem freund.
Ich seh in dir den Gott
Den schauernd ich erkannt
Dem meine andacht gilt.

Du kamst am lezten tag
Da ich von harren siech
Da ich des betens müd
Mich in die nacht verlor:

Du an dem strahl mir kund
Der durch mein dunkel floss ·
Am tritte der die saat
Sogleich erblühen liess.

KUNFTTAG II

Wie einst das dumpfe volk
Nach dem Befreier schrie ·
Die fenster offen tat ·
Ihm tisch und bett gedeckt ·

Von vielem warten wild
Dann fiel in grimm und hohn –
So sank mein blick hinab:
›Der sich zum dritten trog ·

Als kind sein bild nicht fand ·
Als jüngling sehnend brach ·
Der heut die mitte tritt
Ist satt noch zu vertraun.‹

KUNFTTAG III

Nun wird es wieder lenz . .
Du weihst den weg die luft
Und uns auf die du schaust –
So stammle dir mein dank.

Eh blöd der menschen sinn
Ihm ansann wort und tat
Hat schon des schöpfers hauch
Jed ding im raum beseelt.

Wenn solch ein auge glüht
Gedeiht der trockne stamm ·
Die starre erde pocht
Neu durch ein heilig herz.

ERWIDERUNGEN: DAS WUNDER

Steigst du noch mit wirrem haare
Durch verbotene bezirke?
Flehst dass ER sich offenbare?
Schau wie er hienieden wirke
Durch den staub mit feuer fahre!

Über allem volk umwehte
Er dein haupt mit seinem scheine
Dass mit kränzen vor dich trete
Sein gesandter und vorm schreine
Deines jungen traumes bete . . .

Wolken die im abend schwammen
Wölbte seine hand zu runder
Halle voll mit milden flammen . .
Nun geschieht das höchste wunder:
Fliessen traum und traum zusammen.

ERWIDERUNGEN: EINFÜHRUNG

Ob du dich auch in finstrem tal verloren ·
Von höhen abgesunken:
Wie du hier stehst bist du erkoren
Ins neue land zu schaun.
Du hast vom quell getrunken:
Betritt die offnen aun!
Durch veilchenwiesen zieht die gelbe ähre ·
Im haine lodern die altäre
Bekränzt mit rosen .. zitternd warmer schein
Ist in den lüften und der stete
Gesang des engels tönt .. sein mund
Auf deinem brennt dich rein ·
Du weilst auf heiligem grund:
Knie hin und bete!

ERWIDERUNGEN: DIE VERKENNUNG

Der jünger blieb in trauer tag und nacht
Am berg von wo der Herr gen himmel fuhr:
›So lässest du verzweifeln deine treuen?
Du denkst in deiner pracht nicht mehr der erde?
Ich werde nie mehr deine stimme hören
Und deinen saum und deine füsse küssen?
Ich flehe um ein zeichen · doch du schweigst.‹
Da kam des wegs ein fremder: ›Bruder sprich!
Auf deiner wange lodert solche qual
Dass ich sie leide wenn ich sie nicht lösche.‹
›Vergeblich ist dein trost.. verlass den armen!
Ich suche meinen herrn der mich vergass.‹
Der fremde schwand.. der jünger sank ins knie
Mit lautem schrei · denn an dem himmelsglanz
Der an der stelle blieb ward er gewahr
Dass er vor blindem schmerz und krankem hoffen
Nicht sah: es war der Herr der kam und ging.

TRAUER I

So wart bis ich dies dir noch künde:
Dass ich dich erbete – begehre.
Der tag ohne dich ist die sünde ·
Der tod um dich ist die ehre.

Wenn einen die Finstren erlasen:
So schreit ICH die traurige stufe.
Die nacht wirft mich hin auf den rasen.
Gib antwort dem flehenden rufe …

›Lass mich in die himmel entschweben!
Du heb dich vom grund als gesunder!
Bezeuge und preise mein wunder
Und harre noch unten im leben!‹

TRAUER II

Weh ruft vom walde.
Er schmückte sich mit frischem laub umsonst.
Die flur erharrte dich dass du sie weihtest.
Sie friert da du sie nun nicht sonnst:
Die zarten halme zittern an der halde
Die du nun nie beschreitest.

Was sind die knospen all die du nicht weckst ·
Die äste all die deine hand nicht flicht ·
Was sind die blumen all die sie nicht bricht ·
Was sollen früchte sein die du nicht schmeckst!

Im jungen schlag ein krachen
Von stamm nach stamm – wann fällt der nächste?
Das morgendliche grün erschlafft.
Das kaum entsprossne gras liegt hingerafft.
Kein vogel singt .. nur frostiger winde lachen
Und dann der schall der äxte.

TRAUER III

Dumpf ist die luft · verödet sind die tage.
Wie find ich ehren die ich dir erweise?
Wann zünd ich an dein licht durch unsre tage?
Mir ist nur lust wenn ich in gleicher weise
Eingrabe pracht und trümmer meiner tage ·
Bei jedem weg nur meine trauer weise ·
Hinschleppend ohne tat und lied die tage.
Nimm nur aus dunst und düster diese weise:
Nimm hin das opfer meiner toten tage!

AUF DAS LEBEN UND DEN TOD MAXIMINS: DAS ERSTE

Ihr hattet augen trüb durch ferne träume
Und sorgtet nicht mehr um das heilige lehn.
Ihr fühltet endes-hauch durch alle räume –
Nun hebt das haupt! denn euch ist heil geschehn.

In eurem schleppenden und kalten jahre
Brach nun ein frühling neuer wunder aus ·
Mit blumiger hand · mit schimmer um die haare
Erschien ein gott und trat zu euch ins haus.

Vereint euch froh da ihr nicht mehr beklommen
Vor lang verwichner pracht erröten müsst:
Auch ihr habt eines gottes ruf vernommen
Und eines gottes mund hat euch geküsst.

Nun klagt nicht mehr – denn auch ihr wart erkoren –
Dass eure tage unerfüllt entschwebt . . .
Preist eure stadt die einen gott geboren!
Preist eure zeit in der ein gott gelebt!

DAS ZWEITE: WALLFAHRT

Im trostlos graden zug von gleis und mauer
Im emsigen gewirr von hof und stiege –
Was sucht der fremde mit ehrfürchtigem schauer?..
Hier · Bringer unsres heils! stand deine wiege.

Im längs umbauten viereck wo die flecken
Von gras durchs pflaster ziehen und verschroben
Bei magren blumen die verschnittnen hecken:
Hast du zuerst den blick im licht erhoben.

Wie staubt der platz! von welchem lärme pocht er!
Getrab von tritten und geroll von wagen...
Wie ihre last Maria Annens tochter
Hat hier die mutter dich verkannt getragen.

Nur einst als frühling war fiel grau und silbern
Vom himmel tau und sprühte duftige funken
Und allen kindern haben blau und silbern
Die magren blumen lächelnd zugewunken.

Dies allen gleiche haus ist ziel der reise.
Wir sehn entblössten haupts die nackte halle
Aus der du in die welt zogst... Sind drei weise
Doch einst dem stern gefolgt zu einem stalle!

DAS DRITTE

Du wachst über uns
in deiner unnahbaren glorie:
Schon wurdest du eins
mit dem Wort das von oben uns sprach.
Wir fragen bei all
unsren schritten des tags deine milde.
So macht ihre diener
das lächeln der könige reich.
Doch senkt sich der abend in
der dir geweihten memorie:
Dann zittert die sehnsucht
dann greifen die arme dir nach ·
Dann drängen die lippen
zu deinem noch menschlichen bilde
Als wärst du noch unter uns ·
wärst uns noch – Herrlicher! gleich.

DAS VIERTE

Klingen schon hörtest du obere chöre ·
Batest um ruhe vor unsrem geschwärm
Dass es · Verwandelter · dich nicht empöre –
Und uns verweisend entflohst du dem lärm.

Du schon geweiht für die ruhe des siebten
Warst unsrem tag ein entfernter genoss . .
Nur dieses zeichen verblieb den geliebten
Dass unsrer erde nicht ganz dich verdross:

Als schon dein fuss nach den sternen sich sezte
Hat noch ein unterer strahl dich durchbohrt ·
Während dein himmlisches auge sich nezte
Klang deine stimme von trauer umflort:

›Frühling · wie niemals verlockst du mich heuer!
Dürft ich noch einmal die knospenden mai'n
Einmal noch sehen mit euch die mir teuer
Lieblichste blumen am irdischen rain!‹

DAS FÜNFTE: ERHEBUNG

Du rufst uns an · uns weinende im finstern:
    Auf! tore allesamt!
Verlöschen muss der kerzen bleiches glinstern ·
    Nun schliesst das totenamt!

Was du zu deines erdentags begehung
    Gespendet licht und stark
Das biete jeder dar zur auferstehung
    Bis du aus unsrem mark

Aus aller schöne der wir uns entsonnen
    Die ständig in uns blizt
Und aus des sehnens zuruf leib gewonnen
    Und lächelnd vor uns trittst.

Du warst für uns in frostiger lichter glosen
    Der brand im dornenstrauch ·
Du warst der spender unverwelkter rosen
    Du gingst vorm lenzeshauch.

Mit deiner neuen form uns zu versöhnen
    Sie singend benedein ·
Vom zug der schatten die nichts tun als stöhnen
    Dich und uns selbst befrein ·

Die schmerzen bändigen die uns zerrütten –
    Gebeut dein feurig wehn
Und soviel blumen hinzuschütten
    Dass wir dein grab nicht sehn.

DAS SECHSTE

Du freudenbote führtest weiland
Durch einen winter grames voll
Mich in ein wunderbares eiland
Das ganz von blüt und knospe quoll.

Verborgne fülle deiner güter
Entdecktest du dem Einen hier
Und deine liebe ward dem hüter
Und deines eignen blühens zier.

Im hain rief wach der feierfrohe
Der erstlingsopfer fromme hast
Von deren frühgeschauter lohe
Im sinn mir blieb nur schwacher glast.

In trockne scheiter flog der bolzen
Des Helfers mit entflammtem schwung ·
Zerspaltne feuer all verschmolzen
Im streben nach vergöttlichung.

Ich sah vom berg aus ein erneuter
Wonach mein drang umsonst gefragt:
Das Fernenland – du warst der deuter
Da es aus nebeln mir getagt.

Rein blinkten unsre tempelbögen:
Du blicktest auf.. da floh voll scham
Was unrein war zu seinen trögen ·
Da blieb nur wer als priester kam...

Nun dringt dein name durch die weiten
Zu läutern unser herz und hirn..
Am dunklen grund der ewigkeiten
Entsteigt durch mich nun dein gestirn.

GEBETE I

All den tag hatt ich im sinne
Klang der wirklichen drommete ·
Hob die hand nur dass sie flehte
Und den mund um deine minne.

Kam ein opfer sonder makel
Freudiger zu deinem herde?
Reiner von der Welt beschwerde
Tret ich nie vor dein mirakel.

Der dies glühen in mir fachte
Dass ich ihm mich nur bequeme:
Mach mich frei aus starrem lehme!
Sieh ich klage · sieh ich schmachte!

Endlich löse und beschwichte!
Hör mich bitten · hör mich werben!
Gib die wonne dir zu sterben
Wo ich dir am nächsten pflichte!

Nicht verzögre · nicht verdamme!
Dir gehör ich: nimm und fodre
Dass ich fliesse dass ich lodre
Ganz in deiner weissen flamme!

GEBETE II

Ist uns dies nur amt: mit schauern
Zu vernehmen dein gedröhn
Und im staub vernichtet kauern
Vor dir Furchtbarer der Höhn?

Warum schickst du dann die sommer
Wo wir schnellen frei und nackt?
Wo sich nachbar nennt dein frommer ·
Helle raserei ihn packt?

Was erlaubst du uns die räusche
Wo der stolz allmächtig pocht ·
Uns in Deine nähe täusche ·
All dein tosen in uns kocht –

Wirbel uns aus niedrer zelle
Sternenan entführt geschwind:
Deinesgleichen in der welle
In der wolke in dem wind?

GEBETE III

Wie dank ich sonne dir ob jeden dings
Beim ersten schritte über meine schwelle!
Mit warmen strahlen küssest du mich rings –
Wie wird mein morgen froh · mein mittag helle!

Das haar geb ich dem zarten winde preis ·
Des gartens düfte öffnen jede pore.
Da kos't die hand manch purpurschwellend reis ·
Da kühlt die wange sich im schneeigen flore.

O nachmittag der schwärmt und brennt und dräut
Mit der heroen und der magier plane
Und ganze welten mir zum spiele beut
Indess die welle mit mir spielt im kahne!

Und dann des abends gleichersehntes fest!
Wo ich entzündet bin vom heiligen brauche
Der teure bilder liebend an sich presst
Bis alle freude sanft in schlummer tauche.

EINVERLEIBUNG

Nun wird wahr was du verhiessest:
Dass gelangt zur macht des Thrones
Andren bund du mit mir schliessest –
Ich geschöpf nun eignen sohnes.

Nimmst nun in geheimster ehe
Teil mit mir am gleichen tische
Jedem quell der mich erfrische
Allen pfaden die ich gehe.

Nicht als schatten und erscheinung
Regst du dich mir im geblüte.
Um mich schlingt sich deine güte
Immer neu zu seliger einung.

All mein sinn hat dir entnommen
Seine farbe glanz und maser
Und ich bin mit jeder faser
Ferner brand von dir entglommen.

Mein verlangen hingekauert
Labest du mit deinem seime.
Ich empfange von dem keime
Von dem hauch der mich umdauert:

Dass aus schein und dunklem schaume
Dass aus freudenruf und zähre
Unzertrennbar sich gebäre
Bild aus dir und mir im traume.

BESUCH

Sanftere sonne fällt schräg
Durch deiner mauer scharten
In deinen kleinen garten
Und dein haus am gehäg.

Schwirren die vögel im plan ·
Regen sträuche die ruten:
Ziehen nach tagesgluten
Erste wandrer die bahn.

Fülle die eimer nun strack!
Netze im pfade die kiese
Büsche und beete der wiese
Häng-ros und güldenlack!

Und bei der wand am gestühl
Brich den zu wirren eppich!
Streue blumen zum teppich!
Duftend sei es und kühl

Wenn ER als pilgersmann
In solchen dämmerungen
Nochmals vielleicht durchdrungen
Unsere erde und dann

Überm weg das geäst
Teilt mit dem heiligen oden –
Er eine weil deinen boden
Tritt und sich niederlässt!

ENTRÜCKUNG

Ich fühle luft von anderem planeten.
Mir blassen durch das dunkel die gesichter
Die freundlich eben noch sich zu mir drehten.

Und bäum und wege die ich liebte fahlen
Dass ich sie kaum mehr kenne und Du lichter
Geliebter schatten – rufer meiner qualen –

Bist nun erloschen ganz in tiefern gluten
Um nach dem taumel streitenden getobes
Mit einem frommen schauer anzumuten.

Ich löse mich in tönen · kreisend · webend ·
Ungründigen danks und unbenamten lobes
Dem grossen atem wunschlos mich ergebend.

Mich überfährt ein ungestümes wehen
Im rausch der weihe wo inbrünstige schreie
In staub geworfner beterinnen flehen:

Dann seh ich wie sich duftige nebel lüpfen
In einer sonnerfüllten klaren freie
Die nur umfängt auf fernsten bergesschlüpfen.

Der boden schüttert weiss und weich wie molke . .
Ich steige über schluchten ungeheuer ·
Ich fühle wie ich über lezter wolke

In einem meer kristallnen glanzes schwimme –
Ich bin ein funke nur vom heiligen feuer
Ich bin ein dröhnen nur der heiligen stimme.

TRAUMDUNKEL

EINGANG

Welt der gestalten lang lebewohl!..
Öffne dich wald voll schlohweisser stämme!
Oben im blau nur tragen die kämme
Laubwerk und früchte: gold karneol.

Mitten beginnt beim marmornen male
Langsame quelle blumige spiele ·
Rinnt aus der wölbung sachte als fiele
Korn um korn auf silberne schale.

Schauernde kühle schliesst einen ring ·
Dämmer der frühe wölkt in den kronen ·
Ahnendes schweigen bannt die hier wohnen...
Traumfittich rausche! Traumharfe kling!

URSPRÜNGE

1

Heil diesem lachenden zug:
Herrlichsten gutes verweser
Maasslosen glückes erleser!
Schaltend mit göttlichem fug
Traget ihr kronen und psalter.
Später gedenkt es euch kaum:
Nie lag die welt so bezwungen ·
Eines geistes durchdrungen
Wie im jugend-traum.

2

Heil dir sonnenfroh gefild
Wo nach sieg der heiligen rebe
Nach gefälltem wald und wild
Kam in kränzen Pan mit Hebe!

Rauhe jäger zottige rüden
Wichen weissem marmorbein.
Hallen luden wie im süden . .
Wir empfingen noch den schein.

Aus den aufgewühlten gruben
Dampfte odem von legion
Und von trosses fraun und buben ·
Hier ihr gold ihr erz ihr thon!

Auf dem bergweg seht die schar –
Eine stampfende kohorte!
Offen stehen brück und pforte
Für des Caesarsohnes aar.

3

Auf diesen trümmern hob die Kirche dann ihr haupt ·
Die freien nackten leiber hat sie streng gestaupt ·
Doch erbte sie die prächte die nur starrend schliefen
Und übergab das maass der höhen und der tiefen
Dem sinn der beim hosiannah über wolken blieb
Und dann zerknirscht sich an den gräberplatten rieb.

4

Doch an dem flusse im schilfpalaste
Trieb uns der wollust erhabenster schwall:
In einem sange den keiner erfasste
Waren wir heischer und herrscher vom All.

Süss und befeuernd wie Attikas choros
Über die hügel und inseln klang:
CO BESOSO PASOJE PTOROS
CO ES ON HAMA PASOJE BOAÑ.

LANDSCHAFT I

Des jahres wilde glorie durchläuft
Der trübe sinn der mittags sich verlor
In einem walde wo aus spätem flor
Von safran rost und purpur leiden träuft.

Und blatt um blatt in breiten flecken fällt
Auf schwarze glätte eines trägen bronns
Wo schon des dunkels grausamer gespons
Ein knabe kühlen auges wache hält . .

Und durch die einsamkeiten stumm und taub
Senkt langsam flammend sich von ast zu ast
Ins schwere gelb des abends goldner glast –
Dann legt sich finstrer dunst in finstres laub.

Nachtschatten ranken · flaumiges gebräm ·
Um einen wall von nacktem blutigen dorn ·
Gerizte hände dringen matt nach vorn . .
Dass in das dickicht nun der schlummer käm! . .

Da bricht durch wirres grau ein blinken scheu
Und neue helle kommt aus dämmerung.
Ein anger dehnt auf einem felsensprung
Weithin . . nur zieht durch der violen streu

Die reihe schlanker stämme · speer an speer ·
Von silber flimmert das gewölbte blau ·
Ein feuchter wind erhebt sich duftend lau . . .
Es fallen blüten auf ein offen meer.

LANDSCHAFT II

Lebt dir noch einmal · Liebe · der oktober
Und unser irrgang unsre frohe haft
Wie wir durch laubes lohenden zinnober
Und schwarzer fichten grünmetallnen schaft

Den und den baum besuchten · stumme gäste ·
Getrennten gangs in liebevollem zwist
Und jedes heimlich horchte im geäste
Dem sang von einem traum der noch nicht ist –

Erst eines baches hüpfendes gekicher
Uns in der tiefe noch als führer galt
Der uns enteilte leiser dämmerlicher
Bis uns sein schluchzen unbemerkt verhallt

Und diese wandrung uns so sehr entzückte
Dass uns der weg – dass uns das licht verliess
Und dann ein kind das spät noch beeren pflückte
Uns durch gestrüpp die rechte richtung wies:

Wir auf dem mürben und verhangnen steige
Uns vorwärts bahnten tastend und gemach
Und endlich durch die immer lichtern zweige
Das tal sich offen tat mit fernem dach –

Die arme schlingend um die moosige schwiele
Wir abschied nahmen von dem lezten stamm...
Dann gings durch blumen hin zum schönen ziele
Und luft und land in lautrem golde schwamm.

LANDSCHAFT III

Dies ist der hüttenraum wo durch die lücke
Wandernd von bleichen firnen her ein schwacher
Mondschein der dämmerung gleitet – wo ich wacher
Mich tief herab auf deinen schlummer bücke.

Durch steile pfade an granitnen klötzen
Mir war durch weit entrollte wiesenplane
Dein auge zauberblauer enziane
Und deiner wange flaumiges weiss ergötzen.

Durch lange steige in zerhöhlten runnen
Wo wir uns aufwärts halfen mit dem stabe
War mir dein reiner odem eine labe
Mehr als im schwülen mittag kühler brunnen.

Du wirst geweckt vom gruss der morgenlüfte
Dich wieder wenden zu dem fruchtgelände.
Der stumme abschied schattet auf die wände . .
Ich muss allein nun fürder durch die klüfte.

In einer enge von verbliebnem eise
Vorüber an verschneiten felsenstöcken
Gelang ich zu den drohenden riesenblöcken
Wo starre wasser stehn im öden gleise.

Schon sausen winde in den lezten arven ·
Der aufstieg im geröll wird rauher wüster . .
Wo jede wegspur sich verliert im düster
Summen des abgrunds dunkle harfen.

NACHT

Gänge des tages sind weit.

Reisst der verworrene wald
Uns in vergessen so bald?
Hinter dem nächtigen zaun
Fasst uns des bannes geraun –

Uns dem versinken geweiht.

Bäume zu leuchtendem tor
Ragen als leitern empor:
Locken in pfadlosen wahn ·
Treiben in schimmernde bahn.

Wankt den umschlungnen der grund?

Ist dies dein odem in mir ·
Luft aus des rausches revier
Was unsre leiber vermischt ·
Uns durch das finster verwischt

In einem schaurigen bund?

Horch eine stimme wird wach!
Blüten-umsponnenem fach
Heiliger brunnen entsprang ·
Sendet den einfachen sang

Klar durch das dickicht einher . .

Mahnt an lebendige lust
Uns: zu verfallen bewusst
Dunkelster trunkenheit ·
Uns: zu zerrinnen bereit

In einem träumenden meer.

DER VERWUNSCHENE GARTEN

Königlich ruhst du in deiner verlassenheit ·
Garten – und selten nur tust du die tore weit . .
Mit deiner steilen gebüsche verschwiegnem verlies
Sonnig gebreiteter gänge nie furchendem kies.
Lispelnde bronnen umfriediget knospend spalier ·
Steinerne urnen erheben die ledige zier.
In deinem laub geht nur nisten sanft-tönende brut.
Leichte gewölke nur spiegelt die schlafende flut
Deines teichs und die ufer entlang das gebäu:
Ebnes kühl-gleitendes feuer und flimmrige spreu . . .

Eins ist der Fürstin palast: sie bewohnt ein gemach
Seegrün und silbern . . dort hängt sie der traurigkeit nach
In ihren schnüren von perlen und starrem brokat.
Keine vertraute bewegt sie und weiss einen rat.
Weinend nur wählt sie aus ihrer kleinode schwarm
Und ihre wange bleibt leuchtend in all ihrem harm.
Lieblichste blume vergeblichen dufts die nicht dorrt ·
Zartestes herz – ihm gelingt für die liebe kein wort.
Manchmal nachdem sich die sonne im haine verbarg
Und ihr der tag in die wehmut gelindert sein arg ·
Sie auf der laute in schmelzenden weisen sich übt:
Staunen die stolzen gestirne und werden getrübt.

Jenseit des wassers der mattrot- und goldene saal
Herbergt den Fürsten und seine verschlossene qual.
Bleich alabasterne stirn ziert ein schwer diadem ·
Freude und trost des gefolges ist ihm nicht genehm.
Jung und in welke so streckt er die arme ins blau
Schluchzend vom söller herab in die duftige au ·
Der nicht der eigenen würde bekrönung gewahrt
Die jedes nahen verbietet vertraulicher art . . .

Keiner den schaudern der fernheit nicht überkam ·
Der sich das auge nicht deckte · nicht beugte aus scham
Vor diesem antlitze schönheit- und leid-überfüllt
Das uns das herbste und süsseste lächeln enthüllt!

Einmal verstattet das jahr nur der Herrlichen schau . .
Schranken verschwinden und offen steht halle und bau.
Doch wer erwählt ist nur folgt – wer von frommem geheiss
Wer von der heimlichen sprache der blumen wohl weiss
Und von dem zitternden ton von demütigem dank:
Adel und anmut von allem was fürchtig und schwank.
Fern ist wer immer in tosenden schluchten gerast ·
Wer in den sümpfen und giftigen angern gegrast –
Kalter gespenster und düsterer schergen gesind –
Wer wie das tier nicht gerührt wird vom himmlischen wind.

Beiden portalen entschwebt nun ein feiertalar . .
Auf der terrasse begegnet und grüsst sich das paar ·
Gleitet die wege hernieder · die hände verschränkt:
Einzige tritte darob sich die stille nicht kränkt.
Wonne durchrieselt der schauenden kreis der sich kniet
Der seiner höchsten entzückung so lange entriet:
Spitzen opalener finger zu küssen und kaum
Dieser sandalen und mäntel juwelenen saum –
Also erhebt sich in tränen manch stummes gebet.
Aber der zug hat beim brunnen sich langsam gedreht . .
Mit dem holdseligen blick auf der Treuesten kür
Lohnen sie nochmals und in eines laubganges tür
Sind ihre schimmernden schleppen verflattert und ganz
Löst sich der garten im abendlich purpurnen glanz.

ROSEN

Im weissen und glutblumigen gewoge ·
Von büschen weithinwallend höh und mulde ·
Fingst du dich – sangst du · kosend und dich pressend
Ins duftige dickicht .. du verloren ganz
In dieser rosenpracht. Am mittag fielen
Wechselnd an lust dir blätter auf den mund
Und schlafend spielten mit dir büschel garben
Wellen von rosen.

Dass dich der abend hier noch traf! du irrest
In dem gesträuch wo du dich nicht mehr kennst ·
Blind küssest du dich an den stacheln wund.
Nun sitze da – das haupt gesenkt und blutend.
Nun wirbeln reichlich von der nacht geregt
Die blüten .. mag ihr purpur niederfallen
Zu hüllen deine schmach! Nun lerne trauer
Und ernst von rosen.

STIMMEN DER WOLKEN-TÖCHTER

Wir aus den dünneren lüften
Gehn bei euch um insgeheim ·
Euch aus den buschigen schlüften
Euch mit dem volleren seim.

Ob auch uns leichten uns schnellen
Raunet ein warnen: ›entfleuch‹
Zieht doch ein drängen ein schwellen
Stetig hinunter zu euch.

Die ihr mit grausamem rucke
Unsere kränze zerknüllt
Rufend mit schmerzhaftem zucke:
›Spiel das nicht fasst und nicht füllt‹

Ihr die ihr rauh seid und stählern
Reisst aus der hand uns das heft:
Und wir vergeben den quälern
Wenn ihr auch tödlich uns trefft.

Anmutig ist unser reihen ·
Lasset uns liebend euch nahn:
Können wir ganz auch nicht weihen –
Ganz wie ihr wollt euch umfahn!

Wir ein feinblütig gezüchte
Neigen uns schmeichelnd euch dar:
›Zähmt eure gier! mehr der früchte
Wehrt euer jahr und dies jahr‹.

FEIER

In dem haine wo der ahnen
Geist geheim im schatten hauste ·
Wo von weit den wallern grauste ·
Wo die überwachsnen bahnen

Sie gefesselt nur beschritten
Als ein zeichen tiefster frone ·
Wo vorm unsichtbaren throne
Sie sich selber wunden schnitten ·

Wo im wallend weissen rocke
Stand der greis mit blutigem knaufe ·
Roter bach in zähem laufe
Rann vom rohbehaunen blocke:

Dorthin ziehn nun unsre scharen ·
Nur des goldes breite scheibe
Glitzert auf dem nackten leibe
Den mit blatt bekränzten paaren.

Statt der gift der würgerhände
Strömt ein guss von dunklem weine
Zischend in die lohen brände ·
Rieselt nieder an dem steine.

Statt der wild gerizten schrammen
Schnellen tanzend unsre glieder
Zu den takten ernster lieder
In die reinigenden flammen.

Im dumpf hallenden gebäue
Ringelt duft um hohe eschen
Und durch ihres laubes breschen
Blinkt des himmels tiefste bläue.

EMPFÄNGNIS

Da du erst verhundertfältigt
Meinen blick in jener stunde:
Hat dein sturm mich überwältigt.

Hilflos griff er den beschwornen ·
Wälzte ihn in finstre schrunde ·
Den zu andrem licht gebornen

Riss er dann auf hohe schroffen . .
Und mir war als ob er grade
Dein geheimnis leuchtend offen

Einzigmal nun in mich flösse:
Mich erglüht von deiner gnade
Mich zermalmt von deiner grösse ·

Als ob fels und boden berste
Und versinke und gemahne
Jene stunde an die erste

Wo von dir geschreckt geblendet
Zuckend in dem freudigen wahne
Ich mich ganz an dich verschwendet.

Dass kein laut mehr in mir poche
Anders wie der dir gemässe:
Presse mich in deinem joche ·

Schliess mich ein in wolkigem bausche ·
Nimm und weih mich zum gefässe!
Fülle mich: ich lieg und lausche!

LITANEI

Tief ist die trauer   die mich umdüstert ·
Ein tret ich wieder   Herr! in dein haus . .

Lang war die reise ·   matt sind die glieder ·
Leer sind die schreine ·   voll nur die qual.

Durstende zunge   darbt nach dem weine.
Hart war gestritten ·   starr ist mein arm.

Gönne die ruhe   schwankenden schritten ·
Hungrigem gaume   bröckle dein brot!

Schwach ist mein atem   rufend dem traume ·
Hohl sind die hände ·   fiebernd der mund . .

Leih deine kühle ·   lösche die brände ·
Tilge das hoffen ·   sende das licht!

Gluten im herzen   lodern noch offen ·
Innerst im grunde   wacht noch ein schrei . .

Töte das sehnen ·   schliesse die wunde!
Nimm mir die liebe ·   gib mir dein glück!

ELLORA

Pilger ihr erreicht die hürde.
Mit den trümmern eitler bürde
Werft die blumen werft die flöten ·
Rest von tröstlichem geflimme!
Ton und farbe müsst ihr töten
Trennen euch von licht und stimme
An der schwelle von Ellora.

Hoch auf sockeln durch die schatten
Matt nur sprühn von hof zu saale
Stumme augen von karfunkel
Ringe trauernder opale . .
Dumpfe beter auf den platten
Rufen nur zu ruh und dunkel
In den felsen von Ellora.

Sei geschieden · gern gemieden:
Geht der wahn in uns zur rüste ·
Schweigt das pochen unsrer brüste ·
Mildern unsrer fieber sieden
Altarstufen rauh und steinern
Säulen kühl und elfenbeinern
In den tempeln von Ellora!

HEHRE HARFE

Sucht ihr neben noch das übel
Greift ihr aussen nach dem heile:
Giesst ihr noch in lecke kübel ·
Müht ihr euch noch um das feile.

Alles seid ihr selbst und drinne:
Des gebets entzückter laut
Schmilzt in eins mit jeder minne ·
Nennt sie Gott und freund und braut!

Keine zeiten können borgen . .
Fegt der sturm die erde sauber:
Tretet ihr in euren morgen ·
Werfet euren blick voll zauber

Auf die euch verliehnen gaue
Auf das volk das euch umfahet
Und das land das dämmergraue
Das ihr früh im brunnen sahet.

Hegt den wahn nicht: mehr zu lernen
Als aus staunen überschwang
Holden blumen hohen sternen
EINEN sonnigen lobgesang.

LIEDER

VORKLANG

Sterne steigen dort ·
Stimmen an den sang.
Sterne sinken dort
Mit dem wechselsang:

Dass du schön bist
Regt den weltenlauf.
Wenn du mein bist
Zwing ich ihren lauf.

Dass du schön bist
Bannt mich bis zum tod.
Dass du herr bist
Führt in not und tod.

›Dass ich schön bin
Also deucht es mir.
Dass ich dein bin
Also schwör ich dir.‹

LIEDER I–VI

Dies ist ein lied
Für dich allein:
Von kindischem wähnen
Von frommen tränen ..
Durch morgengärten klingt es
Ein leichtbeschwingtes.
Nur dir allein
Möcht es ein lied
Das rühre sein.

Im windes-weben
War meine frage
Nur träumerei.
Nur lächeln war
Was du gegeben.
Aus nasser nacht
Ein glanz entfacht –
Nun drängt der mai ·
Nun muss ich gar
Um dein aug und haar
Alle tage
In sehnen leben.

An baches ranft
Die einzigen frühen
Die hasel blühen.
Ein vogel pfeift
In kühler au.
Ein leuchten streift
Erwärmt uns sanft
Und zuckt und bleicht.
Das feld ist brach ·
Der baum noch grau . .
Blumen streut vielleicht
Der lenz uns nach.

Im morgen-taun
Trittst du hervor
Den kirschenflor
Mit mir zu schaun ·
Duft einzuziehn
Des rasenbeetes.
Fern fliegt der staub . .
Durch die natur
Noch nichts gediehn
Von frucht und laub –
Rings blüte nur . .
Von süden weht es.

Kahl reckt der baum
Im winterdunst
Sein frierend leben ·
Lass deinen traum
Auf stiller reise
Vor ihm sich heben!
Er dehnt die arme –
Bedenk ihn oft
Mit dieser gunst
Dass er im harme
Dass er im eise
Noch frühling hofft!

Kreuz der strasse . .
Wir sind am end.
Abend sank schon . .
Dies ist das end.
Kurzes wallen
Wen macht es müd?
Mir zu lang schon . .
Der schmerz macht müd.
Hände lockten:
Was nahmst du nicht?
Seufzer stockten:
Vernahmst du nicht?
Meine strasse
Du ziehst sie nicht.
Tränen fallen
Du siehst sie nicht.

LIEDER I–III

Fern von des hafens lärm
Ruht der besonnte strand ·
Zittern die wellen aus …
Hoffnung vergleitet sacht.
Da regt vom hohen meer
Wind die gewölbten auf ·
Bäumend zerkrachen sie ·
Stürmen die ufer ein …
Wie nun das leiden tost!
Lautere brandung rauscht ·
Zischend zur dünenhöh
Schlägt sie den dunklen schaum …
Wie nun die liebe stöhnt!

Mein kind kam heim.
Ihm weht der seewind noch im haar ·
Noch wiegt sein tritt
Bestandne furcht und junge lust der fahrt.

Vom salzigen sprühn
Entflammt noch seiner wange brauner schmelz:
Frucht schnell gereift
In fremder sonnen wildem duft und brand.

Sein blick ist schwer
Schon vom geheimnis das ich niemals weiss
Und leicht umflort
Da er vom lenz in unsern winter traf.

So offen quoll
Die knospe auf dass ich fast scheu sie sah
Und mir verbot
Den mund der einen mund zum kuss schon kor.

Mein arm umschliesst
Was unbewegt von mir zu andrer welt
Erblüht und wuchs –
Mein eigentum und mir unendlich fern.

Liebe nennt den nicht wert der je vermisst . .
Sie harrt wenn sie nur schaut in qualen aus ·
Verschwendet schmuck und schatz die keiner dankt
Und segnet wenn sie selbst als opfer brennt.

Teurer! wie dem auch sei: dein pfad zum glück
Den du nur kennst verdunkelt durch mein nahn.
So reiss ich wund mich weg: dich wirre nie
Ein los das leicht sich wider wunsch verrät.

Süsser! ja mehr als dies: damit kein hauch
Dein holdes spielen stört bleib ich verbannt
Und doppelt duldend scheid ich und mein gram
Spricht nur mit mir und diesem armen lied.

SÜDLICHER STRAND: BUCHT

Lang zog ich auf und ab dieselben küsten ·
Von stolzen städten eine perlenschnur ·
Hier oder dort den hochzeit-tisch zu rüsten …
Ein fremdling geht hinaus zur flur.

So oft ich weile auf denselben brücken ·
Nicht weiser – nur vergrämter jedesmal ·
Lass ich von alter hoffnung mich berücken
Umgleit ich harrend manch portal.

Wenn hoch im saale sich die paare drehn
Im bunten schmuck mit blumen um die schläfen:
Folg ich den ärmsten wandlern in den häfen ..
So sehr ist qual allein zu gehn.

SÜDLICHER STRAND: SEE

Fern liegt die heimat noch als schwarze wüste
Vergessen hinter schneebestreuter wehr..
Kein laut von dort der nicht vergeblich grüsste!
Die wunderwelt verlockt uns noch zu sehr.

Starr-hohe fichten sanftere oliven
Im garten den ein kühler glanz durchloht –
Noch wartet drunten auf den glatten tiefen
Aus saphir unser gelbbeschwingtes boot

In dieser luft von weihrauch und von rosen
Wo selbst der strenge Fürst des Endes leicht
Als sei er nur der spender von almosen
Mit einem lächeln durch die lande schleicht.

SÜDLICHER STRAND: TÄNZER

Ihr wart am pinienhage ohne staunen
Ins gras gelagert · junge schwinger · beide
Mit gliedern zierlich regen kräftig braunen
Mit offner augen unbefangner weide.

Ihr hobet euch vom boden auf im takte
Ins volle licht getauchte lächelnd reine
Und schrittet vor und rückwärts – göttlich nackte
Die breite brust gewiegt auf schlankem beine.

Von welcher urne oder welchem friese
Stiegt ihr ins leben ab zum fest gerüstet
Die ihr euch leicht verneigtet und euch küsstet
Und tanzend schwangt auf weiss-gesternter wiese!

RHEIN

Blüht am hange   nicht die rebe?
Wars ein schein nicht   der verklärte?
Warst es du nicht   mein gefährte
Den ich suche   seit ich lebe?

Jagt vom flusse   feuchter schwaden
Duft des haines   licht der lande?
Dichter brodem   wirst du laden ·
Folg ich dir nur   spur im sande?

›Dich zu ehren   dir zu dienen
Seid geopfert   frühere prächte ·
Seid vergessen   tag und nächte!‹
Summt beharrlich   lied der bienen.

Weite runde   wo sich mische
Ferne hoffnung   glück der stunde!
Nur noch droben   in der nische
Zeigt der Heilige   alte wunde . . .

SCHLUCHT

Ward hier in dieser schlucht vom hagelpralle
Uralter fels verbröckelt weggespült?
Hat hier ein stein hat eines tieres kralle
Des greisen baumes wurzeln aufgewühlt?

Ist es ein fleck am grunde hin und wieder ·
Der hauf von grauen flocken die du schaust ·
Verstreut in alle winkel das gefieder
Der taube die ein sperber hier zerzaust?

Was wirfst du in die rinnen in die splitter
Dich nieder – haupt und brust und arme bloss?
Was soll dein aufgelöst und laut gezitter
Dein weinen in der erde offnen schooss?

WILDER PARK

Feuchter schatten fällt aus den buchen . .
Fettes gras schiesst wuchernd empor ·
Hüllt den weiher – gehst du ihn suchen?
Welch geraun entquoll seinem moor?

Halblicht sinkt durch buschige dächer ·
Trauernd schmiegt sich moosig umwirrt
Nackter gott vorm schilfigen fächer –
Welch ein klaglaut hat dich umgirrt?

Lächelnd streifst du steinprunk der vasen ·
Laub ist spröde · früchte sind firn.
Welch ein wind kam fernher geblasen?
Welch ein zweig fuhr um deine stirn?

Leise bebst du · glücklich umgaukelt ·
Eilst dem tor zu · linde bedrückt . .
Welche blume hat dir geschaukelt?
Welch ein strahl kam auf dich gezückt?

Fenster wo ich einst mit dir
Abends in die landschaft sah
Sind nun hell mit fremdem licht.

Pfad noch läuft vom tor wo du
Standest ohne umzuschaun
Dann ins tal hinunterbogst.

Bei der kehr warf nochmals auf
Mond dein bleiches angesicht . .
Doch es war zu spät zum ruf.

Dunkel – schweigen – starre luft
Sinkt wie damals um das haus.
Alle freude nahmst du mit.

Schimmernd ragt der turm noch auf den schroffen
Der des sommers segnung auf uns goss.
Unten schweift nun unser schwaches hoffen
Wissend dass er seit dem frost sich schloss.

Alle täler zeigen weg und stelle
Und des giebels weisse hülle flammt ·
Aber trauernd meiden seine schwelle
Die verwiesnen die sie selbst verrammt.

Suchend weinen löst noch nicht die riegel ·
Wiederholt die weihe nicht die war...
Wann noch einmal sprengen wir die siegel ·
Treten in der gnade zum altar ·

Brechen von dem brot der heiligen schüssel
Daran jedes von dem leid genas?..
Der im schnee verlorne goldne schlüssel
Blinkt er uns im frühjahr aus dem gras?

Wir blieben gern bei eurem reigen drunten ·
Nicht minder lieben wir das schöne tal
Der halme schaukeln und den duft der bunten
Tupfen im morgendlichen strahl.

Wir nähmen gern von faltern und libellen
Den samtnen staub und brächen blumen viel
Und machten draus zum murmeln glatter wellen
Ein zierlich leichtes spiel.

Doch über kahlen fels und starre büsche
Führt uns ein trieb hinauf zu andrem fund ·
An spitzigem steine und gedörntem brüsche
Wird hand und sohle wund:

Auf dass für unser fährdevolles wallen
Einmal uns lohnt des reinsten glückes kost:
Uns nah am abgrund azurn und kristallen
Die wunderblume sprosst.

Flöre wehn durch bunte säle ·
Trauerrufe dringen gell:
Als die düsteren choräle
Stimme spaltet jung und hell.

Fluren wo die triebe stocken
Sind voll kupfern blassen scheins . .
Da berührt er deine locken
Und hat deinen glanz mit eins.

Dass du in der zeit der grüfte
Kranken klager nicht verderbst:
Komm und teil die grauen lüfte ·
Volles licht in meinem herbst!

›Geh ich an deinem haus vorbei
So send ich ein gebet hinauf
Als lägest du darinnen tot.‹

Wenn ich auf deiner brücke steh
Sagt mir ein flüstern aus dem fluss:
Hier stieg vordem dein licht mir auf.

Und kommst du selber meines wegs
So haftet nicht mein aug und kehrt
Sich ohne schauder ohne gruss

Mit einem innern neigen nur
Wie wir es pflegen zieht daher
Ein fremder auf dem lezten gang.

Darfst du bei nacht und bei tag
Fordern dein teil noch · du schatten ·
All meinen freuden dich gatten ·
Rauben von jedem ertrag?

Bringt noch dein saugen mir lust
Der du das erz aus mir schürftest ·
Der du den wein aus mir schlürftest –
Schaudr ich noch froh beim verlust?

Ob ich nun satt deiner qual
Mit meinen spendungen karge?
Zwing ich dich nieder im sarge ·
Treib ich ins herz dir den pfahl?

FEST

Wenn ihr die hüllen warft und die gewinde
Ums haupt euch schlanget und die fackeln rochen
Dann habt ihr mit des tages zwang gebrochen:
Nun seid ihr eines andren herrn gesinde.

Sobald das dunkel die gemächer spreitet ·
Farbige flammen schlagen aus den kesseln
Und hall von horn und pfeife eint und weitet:
Dann sprengt ihr eures eignen willens fesseln.

Dann schwillt das fest in rasendem getobe
Und in den brennenden und blutigen küssen
Wo alle sich in eins verlieren müssen ·
Voll eines atems bei des gottes probe.

Doch lockern sich die knäuel und die tänze ·
Befrein die glieder sich aus süsser pachtung:
Dann werden seufzer wach durch die umnachtung ·
Dann fallen tränen auf die welken kränze.

DIE SCHWELLE

Kaum legtet ihr aus eurer hand die kelle
Und saht zufrieden hin nach eurem baun:
War alles werk euch nur zum andren schwelle
 Wofür noch nicht ein stein behaun.

Euch fiel ein anteil zu von blüten saaten ·
Ihr flochtet kränze · tanztet überm moos . .
Und blicktet ihr zu nächsten bergesgraten
 Erkort ihr drüben euer los.

Da DU die bunten äpfel überm meere
Und DU der fremden reben wein erhobst:
Verdorrte eurer gärten vollste beere
 Und um euch her viel reifes obst.

Und da ihr horchtet auf der goldnen imme
Und eines windes lockendes gekling:
So überhörtet ihr gar oft die stimme
 Der süssen die vorüberging.

HEIMGANG

Drüben zieht ihr müden schwärme
Die ihr unserm tag erstarbt
Heimwärts wo kein wunsch mehr wärme –
Alles frühere weh vernarbt.

Und ihr zeigt dem fernen klager
Euer schattenland als ziel
Und ihr sagt: ein lindes lager
Heilt dort was uns hier befiel.

Keinen wird des sanften fastens
Frohen schweigens dort gereun . .
Einige tage guten rastens
Werden ihn vorm end erfreun . . .

Eh ihr in den friedensforsten
Euren ruheplatz erlast –
Wisset: ist dies herz geborsten
Von der glut die drin gerast.

Aus dem viel-durchfurchten land
Wo die stimmen lauter gröber
Steigen sinken im gestöber
Eil ich rück zur bergeswand.

Nach den sälen voll geduft
Nach den gärten dicht und üppig
Wäldern dunkel und gestrüppig
Steig ich auf in freiere luft.

Stolzer heb ich nun die braun.
Wirst Du wieder mich verknüpfen ·
Schallen mir aus deinen schlüpfen ·
Lehren auf und abzuschaun?

Über dämpfe wolgerüche
Wirbel feuer draus ich floh
Schwebt der erste noch der sprüche:
Du bist fern und du bist hoh.

Hier ist nicht mein lichtrevier
Wo ich herrschte wo ich freite.
Himmel ist mir fremd und breite –
Arme flur mit magrer zier.

Sandige strecken unbebaut . .
Zwischen halden die verdorren
Streckt die dünnbelaubten knorren
Hier ein baum aus hagrem kraut.

Welch ein zirpen dringt ans ohr?
Vom gezweig ein tönend wispeln . .
Nun erkenn ich Dich am lispeln.
Du bis nah: bald scheinst du vor!

Nirgends weiss ich ziel und steg
Wem zu freude wem zu nutze
Und ich weiss mich nur im schutze:
Bin auch hier auf Deinem weg.

Verschollen des traumes
Des gottes herabkunft!
Nun waltet des raumes
Ein ruf aus dem abgrund.

Verschwunden das sehnen ·
Verheerender glutschwall!
Schon schloss über jenen
Der stärkere flutprall.

Der oft sich erneunde
Nicht sei mehr der schwur laut!
Ich reiche euch freunde
Den mund hin zum urlaub.

Die hände die mienen
Erflehn von mir ruh nun ·
Ich frieden vor ihnen . .
Und wach bleibest Du nur.

TAFELN

AN MELCHIOR LECHTER

Deinem Sinn frei und stolz gegen unbill gefeit
Erz im tiegel des heils aller schlacken befreit!

Deiner Seele die hoch überm traumland regiert ·
Uns · der welt jahr um jahr neue wunder gebiert!

Deinem Sein allen einsamen trost und geleit –
Turm von bleibendem strahl in der flutnacht der zeit!

AN KARL UND HANNA

Wenn ihr auf langen fahrten nach der schöne
Beladen seid mit reichen lebens bunter beute:
So freut euch dass EIN tag das frühere leben kröne
Und in das kommende mit heiligem finger deute!

AN GUNDOLF

Warum so viel in fernen menschen forschen und in sagen lesen
Wenn selber du ein wort erfinden kannst dass einst es heisse:
Auf kurzem pfad bin ich dir dies und du mir so gewesen!
Ist das nicht licht und lösung über allem fleisse?

ERINNRUNG AN BRÜSSEL: PERLS

So tauchst du auf wie du auf die wimperge
Sankt Gudulas die fieberblicke schossest..
Droben im park den lezten strahl genossest
Und langsam niederschlichst am Treurenberge.

GESPENSTER: AN H.

Ihr tagblind auge flattert über gräber und ruinen
Und schätze wühlen sie aus unheilvoller schicht.
Erlöst sie keiner: schwinden sie dahin und fremd blieb ihnen
Das goldne lachen und das goldne licht.

KAIROS

Der tag war da: so stand der stern.
Weit tat das tor sich dir dem herrn...
Der heut nicht kam bleib immer fern!
Er war nur herr durch diesen stern.

AN HENRY

Das leben zog um dich den schönen zaun.
So braucht dir nie vor schlucht und flut zu graun.
Für viele zier gibst du dich keinem ganz
Und fliehst mit leztem streit den lezten kranz.

VORMUNDSCHAFT

Als aus dem schönen sohn die flammen fuhren
Umsperrtest du ihn klug in sichern höfen.
Du hieltst ihn rein für seine ersten huren . .
Öd ist dies haus nun: asche deckt die öfen.

GAUKLER

Du machst dich blind damit du andre blendest.
Dein feuer zischt das unermesslich deuchtet . .
Das planlos raucht · das nimmer wärmt und leuchtet ·
Mit dem du nachts die bösen albe sendest.

NORDMENSCHEN

Wohl nehmt ihr jedes ziel mit sicherm trott
Und zuckt der strahl: so klärt auch euch das schöne.
Doch steht euch rausch nicht an – wer den verpöne
War nie geeinigt mit dem Höchsten Gott.

ERNESTO LUDOVICO:
DIE SEPT. MENS. SEPT.

Die zeiten gehn · die stunden fliehn · es flieht das glück.
Sie ziehn mit uns und öffnen ihre hände.
Heil Ihm der jeder lächelnd schenken kann
Von Ihm der hundert schwinden lässt um eine!

IN MEMORIAM ELISABETHAE

Durch schauervolle auch der seelen ferne fliegt
Des liedes trauer und des gartengangs gedenk
Der voll war von versteckten kindes anmut-lachen –
Dem nun verklungnen – kommt sie zu dem leeren haus.
Sie kann nicht mehr als tränen giessen über dich
Betrübteste der hände die mit einzigem recht
Zur klage bebt! und flüstern: Ist ein ding der welt
Noch trauriger als eines jungen traumes tod?

AN SABINE

Das farbenlaub umschlang die sage
Von manchem weh des sommerbrands
Als eine reife süsse klage ..
Und unsre wünsche pochten minder
Bei glück und träne schöner kinder –
So waren alle diese tage
Von blum und frucht ein duftiger kranz.

EINEM PATER

Kehrt wieder kluge und gewandte väter!
Auch euer gift und dolch ist bessre sitte
Als die der gleichheit-lobenden verräter.
Kein schlimmrer feind der völker als DIE mitte!

AN VERWEY

In fieber lauschten wir · drang übers meer
Ein wort vom kampf · als gält es eigne sache . .
Zwingt eine schar den unbesiegten drachen?

Die menschen jauchzten bei verwegnen streichen
Und übersahn die stille hand des helden.
Dann sprach ein kläglich ende – joch und kauf:
Kein hoffen! massen sind heut schutt – nie kommt
Durch weg und waffe dieser welt mehr heil!

G. v. V.

Dein gequälter geist fand nirgends eine bühne:
In den fernsten stätten machtest du die ronde
Bis in Ostens gärten – und auf einer sponde
Blutigen grases suchst du rast auf armer düne.

AN CARL AUGUST KLEIN

Teilten nicht alles wir:
lose und träume und ziele und pfade?
Mischten wir nicht unser blut
dass wir brüder uns seien?
War es der wille des sterns
dass wir jezt in der gleichen dekade
Uns für die hoffnung
verwandelten lebens befreien?

AN HANNA MIT EINEM BILDE

Du kennst von allen nur die ganze schwere
Des trauerjahrs und des verlassnen pein.
Nimm dieses bild das frei ward: du allein
Hier lebend herz zu dem ich wieder kehre!

AN ROBERT: I BRÜCKE

Unterm nächtigen holz der brückenfirst
Brause woge wild im felsigen strudel!
Nicht mehr lang dass du zum sanften sprudel
Meines königlichen stromes wirst.

II ABEND IN ARLESHEIM

Ihr sizt vereinsamt in des weges dust
Und fragt und zagt in der gedanken trauer.
Der erde jede frucht ward euch zu sauer
Und jeder trieb zu wild für sieche brust.

In haltung die uns werk und traum gegeben
Und aller küsse aller tränen mal
Zusammengehn von licht- zu schattental!..
Ums andre sorgt nicht viel das Neue Leben.

AN UGOLINO

Uns trennen mehr noch als die ewigen wogen
Von unsrem geist die weit sich fliehenden bogen.
Doch deine zarten tränen dankend ehre
Ich über kluft der jahre träume meere.

AN LOTHAR

Wart bis die feuchten nebel nicht mehr pressen
Den geist der asche über gräber siebt!
Dich werd ich ob der tränen nie vergessen
Die denen du geweint die ich geliebt.

AN ERNST

Du schliessest vor dem vollen licht die läden
Und jedem wunsch und sinnst und harrest scheu
Und wirkst mit peinvoll emsigen händen treu
An deinem werk aus nachtgesponnenen fäden.

AN DERLETH

Du fälltest um dich her mit tapfrem hiebe
Und stehst nun unerbittlicher verlanger.
Wann aber führt dich heim vom totenanger
Die täglich wirksame gewalt der liebe? . .

In unsrer runde macht uns dies zum paare:
Wir los von jedem band von gut und haus:
Wir einzig können stets beim ersten saus
Wo grad wir stehn nachfolgen der fanfare.

EINEM DICHTER

Sieh diese knospen hier die quellend spaltete
Der wechsel späten scheins und milden regens
In deinem hohlweg – ihres vollen segens
Erfreun sich erst vom mächtigen strahl Entfaltete.

AN ANNA MARIA

›Behängt mit allem doch des EINEN bloss
Wozu man bald euch ruft · was euch nur tüchtigt
Ihr schwestern: eurer lampen öl verflüchtigt ·
Betörte! wir sind nur durchs opfer gross.‹

Du richtest unser eitles tun und ringen
Mit hartem blick . . doch manchmal · böse nonne ·
Wird durch dein lächeln jedes düster sonne
Und hof und stadt ein markt von wunderdingen.

EINEM DICHTER

Schönste farben hellste strahlen
Gebt ihr da ihr grünt und quellt
Voll der ahnung aller qualen
Mitten in der blumenwelt.

RHEIN: I

Ein fürstlich paar geschwister hielt in frone
Bisher des weiten Innenreiches mitte.
Bald wacht aus dem jahrhundertschlaf das dritte
Auch echte kind und hebt im Rhein die krone.

RHEIN: II

Einer steht auf und schlägt mit mächtiger gabel
Und sprizt die wasser güldenrot vom horte . .
Aus ödem tag erwachen fels und borte
Und pracht die lebt wird aus der toten fabel.

RHEIN: III

Dann fährt der wirbel aus den tiefsten höllen
Worin du donnerst bis zur Ersten Stadt ·
Drängt von der Silberstadt zur Goldnen Stadt
Soweit die türme schaun vom heiligen Köllen.

RHEIN: IV

Nun fragt nur bei dem furchtbaren gereut
Ob sich das land vor solchem dung nicht scheut!
Den eklen schutt von rötel kalk und teer
Spei ich hinaus ins reinigende meer.

RHEIN: V

Dies ist das land: solang die fluren strotzen
Von korn und obst · am hügel trauben schwellen
Und solche türme in die wolken trotzen –
Rosen und flieder aus gemäuern quellen.

RHEIN: VI

Sprecht von des Festes von des Reiches nähe –
Sprecht erst vom neuen wein im neuen schlauch:
Wenn ganz durch eure seelen dumpf und zähe
Mein feurig blut sich regt · mein römischer hauch!

KÖLNISCHE MADONNA

Schirmherrin du empfingst mich oft am tor
Wenn ich von Westen kam mit gramem blicke:
›Einst bracht ein volk so klar wie tief hervor
Mich lächelnde Madonna mit der Wicke.‹

BILD: EINER DER 3 KÖNIGE

Dir · neuer Heiland! bracht ich meinen zins.
Nun lass mich wieder nach dem heimatplatze!
Noch bin ich jung und lebe frohen sinns
Der süssen krone und dem schönen schatze.

NORDISCHER MEISTER

Wo dein geheimnis lag und dein gebreste
War unsrer nächte quälender vertreib:
Du malst in deine himmel ein die reste
Von glanz um der gefallnen engel leib.

NORDISCHER BILDNER

Noch diese hüllen wirf! noch diese ketten
Zerbrich! die hemmen bei vervollkommnung..
Nun klebst du nirgends mehr am schweren letten.
Nun wag einmal ins freie licht den sprung!

KOLMAR: GRÜNEWALD

Dein wunder leib erträgt der henker klaue ·
Der ungeheuer huf und ekle härung
Sein lebtag · dass er für ein nu sich schaue
Im rosigen lächeln siegender verklärung.

HEISTERBACH: DER MÖNCH

Euch ward wodurch ihr bisher galtet: türme
Gesänge sagen siege durchs Gebet.
Die welt die sein enträt · die nun entsteht
Ist spreu vorm Herrn und ihr vor ihm gewürme.

HAUS IN BONN

Eh ihr zum kampf erstarkt auf eurem sterne
Sing ich euch streit und sieg von oberen sternen.
Eh ihr den leib ergreift auf diesem sterne
Erfind ich euch den traum bei ewigen sternen.

WORMS

Neu war die welt erwacht: die fersten schätze
Und blütenwolken trieb ins land ein föhn . .
Dann kam der frost: gezänk und starre sätze . .
Der schönste lenz entfloh uns mit gestöhn.

WINKEL: GRAB DER GÜNDERODE

Du warst die Huldin jener sagengaue:
Ihr planlos feuer mond und geisterscheine
Hast du mit dir gelöscht hier an der aue . . .
Ein leerer nachen treibt im nächtigen Rheine.

AACHEN: GRABÖFFNER

Wenn dies euch treibt so milderts euren frevel
Die wieder ihr in heiligen grüften scharrt:
Die dunkle furcht vor nahem pech und schwefel
Die ahnung dass am tor das end schon harrt.

HILDESHEIM

Dass euch die schändung nicht zu sehr erbose
Der heiligen örter durch die niedre brut!
Denn goldne knospe trieb in treuer hut –
So schien es jüngst – die Tausendjährige Rose.

QUEDLINBURG

An steilen bögen und um wuchtige wand
Sausten im sturm die Heiligen die Gesalbten:
›Wir schirmen noch die höhn wenn sie auch falbten . .
Ruft euer heil nicht hinten aus dem sand!‹

MÜNCHEN

Mauern wo geister noch zu wandern wagen ·
Boden vom doppelgift noch nicht verseucht:
Du stadt von volk und jugend! heimat deucht
Uns erst wo Unsrer Frauen türme ragen.

HERBERGEN IN DER AU

Bemalte erker zeitengraue balken
Und schindeln rufen auf die welt von eh . .
Verwunschner dorfplatz wo vom mund des schalken
Ein leiersang uns trifft wie tötend weh.

BOZEN: ERWINS SCHATTEN

Stimmen hin durch die duftige nacht verschwommen
Der mauern zitterglanz wie der natur
Entzücktes beben: sind sie nur entnommen
Mein Erwin deiner zarten spur?

BAMBERG

Du Fremdester brichst doch als echter spross
Zur guten kehr aus deines volkes flanke.
Zeigt dieser dom dich nicht: herab vom ross
Streitbar und stolz als königlicher Franke!

Dann bist du leibhaft in der kemenat
Gemeisselt – nicht mehr Waibling oder Welfe –
Nur stiller künstler der sein bestes tat ·
Versonnen wartend bis der himmel helfe.

TRAUSNITZ: KONRADINS HEIMAT

Hier sahst du wie die späten deiner brüder
Hinweg von heimischem fluss und flachem felde
Mit dem entflammten sehnsuchtsblick der süder
Zu dem gebirge als dem tor der Selde.

DIE SCHWESTERSTÄDTE

Lang schweigt in herzen neuster prunk der tuben
Wenn alle völker noch die spuren segnen
Von Göttern Helden die in der entlegnen
Landstadt für eine weil den thron erhuben . . .

Und hier drohst du herab vom bergeszacken
Der lezte grosse Stern der zeitenbiege . .
Die schmach die von dir kam – dein fuss im nacken
War mehr uns wert als manche matten siege.

HEILIGTUM

Wie tot ist mancher stadt getümmel und gekling:
Nur gilt ein altes bild als einzig lebend ding ...
Hier liegt die form des kopfes der wie nie
Ein kopf verachtung auf die menschen spie.

STADTUFER

Wer kann dies wirrsal sehn mit andren sinnen –
Getrab der vielen räder füsse hufe –
Als jener Kaiser der zehntausend spinnen
Zusammen bringen liess in einer kufe ...

Doch einer hob sich ab von diesem wimmeln
Der blossen haupts nah am geländer ragte ·
Der schauend nach den einzig wahren himmeln
Mit bleicher hand die geister rief und jagte.

STADTPLATZ

Ihr hoch und nieder rennt dem götzen nach
Der flitter hohle flache und gemeine
Aus eurem pfunde münzt. Mein volk ich weine
Wenn sich das sühnt mit armut not und schmach.

JAHRHUNDERTSPRUCH

Zehntausend sterben ohne klang: der Gründer
Nur gibt den namen.. für zehntausend münder
Hält einer nur das maass. In jeder ewe
Ist nur ein gott und einer nur sein künder.

EIN ZWEITER

Auch ihr gabt euer erbteil für ein mus..
Bald gilt euch köstlicher erwerb für plunder ·
Ihr nehmt als wahrheit nur die tollsten wunder...
Weh! was bricht los und rennt mit nacktem fuss!

EIN DRITTER

Der mann! die tat! so lechzen volk und hoher rat ·
Hofft nicht auf einen der an euren tischen ass!
Vielleicht wer jahrlang unter euren mördern sass ·
In euren zellen schlief: steht auf und tut die tat.

EIN VIERTER: SCHLACHT

Ich sah von fern getümmel einer schlacht
So wie sie bald in unsren ebnen kracht.
Ich sah die kleine schar ums banner stehn...
Und alle andren haben nichts gesehn.

EIN FÜNFTER: ÖSTLICHE WIRREN

Strohfeuer bleibt dies schlagen und dies rasen
Bis sich inmitten ziellosen geschreis
Der Eine hebt.. doch wahre gluten blasen –
Wer kann es in ein volk aus kind und greis?

EIN SECHSTER

Nur aus dem fernsten her kommt die erneuung –
So braust der grosse sang zur frühlings–trift..
Und eine hochzeit heilt von zwein: zerstreuung
Und zuviel kosten von dem süssen gift.

VERFÜHRER: I

›Streut diesen sand und zweimal könnt ihr keltern
Und dreschen und das vieh ist doppelt melk.
Nun schwelgt und spottet eurer kargen eltern . . .‹
Doch übers jahr bleibt alles brach und welk.

Grelltönende saite ziehn sie auf ihre leiern:
›Gott aber tier‹ ›ein aber kein‹ ›grad und doch krumm‹.
Welten und zeiten durchrauscht nun! ein staunen! ein feiern!
Doch wer die grundnote hört der lacht und bleibt stumm.

VERFÜHRER: II

Wir sind nicht voll · wir haben nicht die drei
Und möchten doppelt sein mit unsrer zwei.
So rufen flehend wir die vier herbei
Aus nebel wahn und spuk und hexerei.

MASKENZUG

Der götter zug steigt abwärts an der rampe
Mit dem der ihre huld und hass beordre ·
Der tod und leben menge .. doch der vordre –
Verhüllt – ist mann und mutter mit der lampe.

Wo einst sie wurden müssen sie die lunten
Entzünden gehn für obere gloriole.
Sie steigen jeden weltentag nach unten
Und neigen dienend sich an irdische sohle.

FESTE

Hüllt auch das bild der schnöde werktag heuer ·
Hier trat aus zeiten-wirrnis und -gezeter ·
Das haupt bekränzt · vortragend offne feuer ·
Der erste feierliche zug der beter.

ZUM ABSCHLUSS DES VII. RINGS

Wogen brachen aus einer tosenden see.
Wracke und leichen schlang eine grollende see..
Später erglitzerten unter dem sternengold
Längs den gestaden korallen und perlen und gold.

EIN GLEICHES: FRAGE

Der mehr denn fürst sich sondernd herrischen blickes traf
Die brüder und ihr werk verwies zum kot –
Wer bist du Fremder? ›Ich bin nur demütiger sklav
Des der da kommen wird im morgenrot.‹

EIN GLEICHES: KEHRAUS

Die hexen und beschwörer die noch spuken –
Hinaus! Die dämmrung bricht durch alle luken.
Dass der nur rück ins reine haus sich wage
Der hüllenlos sich zeigen darf im tage!

EIN GLEICHES

Ganz wuchs empor in vaterländischer brache
Dies werk und ging der reife zu ganz ohne
Fernluft... Was früher klang im tempeltone
Deucht nun den menschen mehr in ihrer sprache.

EIN GLEICHES: AN WACLAW

Beim abschied damals lag noch in der leere
Das buch gediehen ganz an heimischer statt..
Nun bin ich dankbar dass dies lezte blatt
Doch noch dein ritterlicher schatten quere.

EIN GLEICHES

Da mich noch rührt der spruch der abschieds-trünke
Ihr all! und eure hand noch wärmt: wie dünke
Ich heut mich leicht wie nie · vor freund gefeit
Und feind · zu jeder neuen fahrt bereit.

ANHANG

Der SIEBENTE RING *erschien 7 Jahre nach dem* TEPPICH DES LEBENS *als letzter der von Melchior Lechter gestalteten Privatdrucke im Oktober 1907. Die Gesamtauflage betrug 500 Stück. Das Buch war in violettes Leinen, Leder oder Seide gebunden, und diese Farbe hob es bis einschließlich der 6. Auflage von den anderen Gedichtbänden ab.*
Am 3. September 1906 schrieb George an Lechter (Hand Fr. Gundolfs): Ihre Karte kam im Moment an da Gundolf an der reinschrift des »Siebenten Rings« hier arbeitet. Das nächste ist nun dass ich für Sie aus dem erstellten text einiges abschreiben und an Sie senden lasse. Wenn ich Ihnen nicht schon im frühjahr oder sommer versprochene teile des Werkes geschickt habe, so geschah das aus zwei gründen: 1.) ist seine ausdehnung so ins riesengrosse gewachsen ... und ohne meine genauesten erklärungen wäre es nicht möglich gewesen Ihnen die innere architektur zu zeigen die durch eine ganz bestimmte anordnung hervorgehoben werden müsste. 2.) wollte ich durch diese vielspältige verzweigte aufgabe Sie nicht verwirren zu einer zeit, wo ich Sie an der arbeit des ersten buches vermutete. ... denn beide Werke das Gedenkbuch und der Siebente Ring müssen in diesem jahr gedruckt werden, gehe es wie es gehe. Ohne meine anwesenheit ist das drucken unmöglich. Nach Weihnachten kann ich nicht mehr nach Berlin kommen. Erscheinen muss es ... *(Hs). Falls Lechter nicht die Zeit habe, die* Werke verschönern zu helfen, *so wollte George wenigstens nicht Lechters* Rat *entbehren. Das Gedenkbuch* MAXIMIN *wurde gerade noch Ende Dezember 1906 in 10 Vorausexemplaren fertiggestellt, während der* SIEBENTE RING *noch fast ein Jahr auf sich warten ließ.*
Dabei schrieb Friedrich Gundolf schon am 23. März 1906 an George »Hoffentlich geht dies widerliche Zwischenjahr bald zu Ende, bis das WERK *erscheint, das Ernte der vergangenen und Saat künftiger Jahre der Seele sein muss«, und Ende August 1906 saß er an der von George im Brief an Lechter (s.o.) erwähnten Abschrift »dieser unbeschreiblichen Wunder« (Gundolf an George, 31. 8. 1906, G/G, S. 175). Fast ein Jahr später, im Juni 1907, lag dann Lechter eine heute nicht mehr vorhandene Reinschrift vor, die noch variante Zyklenbezeichnungen aufwies. Am 15. Juni schickte dieser George den gesamten Buchschmuck des* SIEBENTEN RINGS. *Die Entwürfe gingen schon am 22. Juni mit kritischen Bemerkungen und Wünschen zur Druckgestalt an Lechter zurück. Im September las der Berliner Historiker Kurt Breysig Korrektur.**
Soweit die Entstehungsgeschichte des Bandes erschlossen und belegt werden kann, lagen also schon Mitte 1906 fast sämtliche Gedichte vor. George arbeitete dann ein Jahr lang an der Gestalt des Bandes, an dessen innerem und äußerem Gefüge. Albert Verwey berichtet von dieser Arbeit, teilweise Georges eigene Worte wiedergebend (AV, S. 52f.): »Der Siebente

---

**Bekannt ist ein Exemplar des* SIEBENTEN RINGS *ohne Druckvermerk mit eigenhändiger Widmung Georges auf dem Vorsatz:* Diese vorläufigen bogen seinem verehrten Kurt Breysig von Stefan George Berlin september 1907, *gedruckt auf verschiedenen Büttenpapieren. Ab S. 33 sind die Zwischentitel, Gedichtüberschriften und die Paginierung vom Dichter eigenhändig in roter Tinte, bzw. (ab S. 177) in Bleistift hinzugefügt, ebenso wurden einige fehlende Initialen nachgetragen (nach Katalog Galerie Gerda Bassenge, Berlin: Auktion 35, 1980, S. 432f.)*

Ring war fertig. Die Zusammenstellung hatte ihn unendliche Mühe und Anspannung gekostet. Ich kann seine Worte noch beinahe buchstäblich wiedergeben: ›Voriges Mal, da ich bei Ihnen war, sagten Sie: es ist nicht gut, die Zeit unbeachtet zu lassen. So ist es. In Deutschland gibt es jetzt so und so viele Strömungen des Lebens und des Geistes. Man soll sie ordnen. Man soll den Weg zeigen wodurch sie wirken können. Mein Weg ist aber nicht der beliebte, der moderne der jetzigen Zivilisation. Ich will eine andere, eine innerliche Einheit. Damit bin ich an unsere Welt herangetreten. Früher glaubte ich daß die Welt mich erdrücken würde. Jetzt aber fürchte ich mich nicht mehr. – Meine Verhältnisse zu Personen und Zuständen sind dadurch geändert. Die sind noch wohl alle da, aber weil ich mich um so viel mehr als früher kümmere, stehe ich zu jedem einzelnen nicht mehr in der selben Vertraulichkeit. – Alles wird in meine neue Arbeit aufgenommen. Auf jede Frage findet sich da, wie auch versteckt, eine Antwort.‹«

Was aber galt es an Unterschiedlichem zu einem beziehungsreichen, sinnvollen Ganzen zusammenzufügen? Karl Wolfskehl nennt den SIEBENTEN RING *in einem Brief an George vom 23. 10. 1907 »Diese um- und aufbauende Spätlese Ihres ganzen bisherigen Daseins« (Hs). Wir haben bis heute keine Zeugen dafür, daß die sechs ersten* LIEDER *(S. 136ff.), dem Erlebniszusammenhang Ida Coblenz angehörend, schon in den Jahren 1892/93 entstanden; stilistische Gründe sprechen dafür, auf sie wird im Apparat hingewiesen.*

Eine zweite Gruppe der LIEDER *dürfte in den Jahren 1898/99 (S. 145ff.), eine dritte 1903/04 (S. 157ff.) entstanden, eine vierte im Oktober 1905 (S. 142ff.) geschrieben sein. Der Anspruch des Liedhaften wird von ihnen in sehr unterschiedlicher Weise erfüllt. Auch die Gruppe der* ZEITGEDICHTE *ist über Jahre hinweg gewachsen, ein formal geschlossener, stilistisch einheitlicher, thematisch neuer Block, dessen Anfänge ins Jahr 1897* (Pente Pigadia) *zurückgehen und dessen letzte Gedichte 1903/04 entstanden. In ihnen ist die Kunst um der Kunst willen aufgegeben, die zeitlich und räumlich fernen Bildungswelten Antike, Orient und Mittelalter sind weit zurückgeblieben, die Gedichte lassen sich auf die Jetztzeit ein, reagieren mit harscher Kritik und positiven Entgegensetzungen, steigern sich zu ersten Ansätzen von Prophetie. Wird für die* ZEITGEDICHTE *der Einfluß der Münchner Kosmik, ihrer Hauptvertreter Alfred Schuler und Ludwig Klages geltend gemacht, so trifft dies weit mehr noch für die* GESTALTEN*-Gedichte der Jahre 1901–1904 zu. Von entscheidender Bedeutung für den* SIEBENTEN RING *und das spätere Werk ist aber der Zyklus* MAXIMIN*, der den Mittelpunkt des Gesamtwerkes bildet. Er ist größtenteils nach April 1904 entstanden. Damals war der junge Freund Georges, Maximilian Kronberger, den er in der Maximin-Gestalt verewigt, gestorben. Die beiden von George als solche nicht gekennzeichneten Hauptteile des Zyklus* GEZEITEN *gehören der Zeit vor (1899–1902) und nach dem Tod Maximilian Kronbergers (1905) an, wie auch die* MAXIMIN*-Gedichte zum Teil vor* (Erwiderungen), *zum Teil nach diesem Einschnitt entstanden. Zu diesem Zyklus hat sich eine einzige Handschrift erhalten (H^{38}). Sie befand sich im Besitz Melchior Lechters und trägt die Datierung 4. Februar 1907. Es ist das Gedicht* Einverleibung,*das hier noch den Titel* Kommunion *trägt und vermutlich erst im Winter 1906/07 entstand.* TRAUMDUNKEL *dürfte zuletzt als eigenständiger Zyklus konzipiert worden sein. Eines seiner Gedichte erschien März 1904 unter der Überschrift* GESTALTEN *in den ›Blättern für die Kunst‹* (Litanei). *Das Gedicht* Ursprünge *war im Februar 1904 Ergebnis eines einzigen Tages und stand in* *den ›Blättern für die Kunst‹ VII, von den anderen Gedichten Georges getrennt, ohne Hinweis auf den Verfasser oder die Zugehörigkeit zu einem Zyklus. Auch* Landschaft I, *auf die beiden* Erwiderungen (Wunder *und* Die Verkennung) *noch ohne Gedichttitel folgend, läßt keine eindeutige Zugehörigkeit erkennen. Schließlich trug das erste und früheste der* GEZEITEN-*Gedichte in einer Handschrift für Melchior Lechter (H^6) die Überschrift* Traumdunkel. *Die Gedichte des später so benannten Zyklus dürften also ohne inneren Zusammenhang in den Jahren 1902–1904 entstanden sein, mit Ausnahme des* Eingang-*Gedichtes von 1905 und* Empfängnis, *das dem* MAXIMIN-*Umkreis und sicher erst den Jahren 1905/06 zugehört. Die große Gruppe der 70 epigrammatischen* TAFELN *beginnt mit dem Widmungsgedicht an Karl und Hanna Wolfskehl vom Dezember 1898, und das zweitletzte der Gedichte, ein Spruch für Waclaw Lieder, stammt frühestens vom September 1906.*

So war für den Großteil der Einzelgedichte im SIEBENTEN RING, *bevor sie in die Gesamtkomposition eingingen, das Maximin-Erlebnis, der daraus entstehende Maximin-Mythos und das sich daraus ergebende veränderte Dichtungsverständnis noch nicht von Bedeutung. Wohl aber für die äußere Gestalt des* SIEBENTEN RINGS, *die George so lange beschäftigte. Wie kein vorhergegangener Gedichtband Georges stellt der* SIEBENTE RING *eine Vereinigung von Verschiedenartigstem dar. Der* TEPPICH DES LEBENS *zeichnet sich durch seine formale Geschlossenheit aus, beim darauffolgenden* SIEBENTEN RING *stand George vor der Notwendigkeit einer nachträglichen Ordnung. Er löste die Aufgabe durch die strikte Durchführung einer Siebenzahlgliederung, die nun nach eigenem Verständnis mit Sinn aufgeladen ist, anders als die Zahlensymmetrie der Verse des* TEPPICHS.

DER SIEBENTE RING *ist das siebte Werk Georges und besteht aus sieben Büchern, die sich in konzentrischen Kreisen um den zentralen* MAXIMIN-*Zyklus legen. Die Gedichtzahl jedes Kreises stellt ein Mehrfaches von Sieben dar, ebenso die Seitenzahl eines jeden Zyklus von der ersten Ausgabe bis zur Gesamtausgabe. Sinn wächst der Zahl Sieben aus der Tradition zu: Sieben ist die Zahl der Planeten, der ihnen zugeordneten Metalle und Wochentage, ist die Zahl Apolls und die mystische Zahl der Vereinigung von Gott (3) und Mensch (4). Die Tradition ist aufgehoben und aufbewahrt im Namen* MAXIMIN, *der sieben Buchstaben aufweist.*

Was aber war bestimmend für die umfangreiche dichterische Ernte der Jahre 1897–1906, für das Werk, das, nach Georges eigener Deutung, ganz ohne fernluft *in* vaterländischer brache *wuchs? Es gedieh in einer Zeit der Rückbesinnung, des Rückblicks auf das eigene Leben und Werk, des Abschließens vor dem Neubeginn. 1901 erschienen nach mehr als zehnjähriger Arbeit die Baudelaire-Übertragungen. Die Begegnung und Auseinandersetzung – in Form der Übertragung – mit der zeitgenössischen Literatur war beendet, die Sehnsucht nach dem Süden zur Ruhe gekommen. Zwischen 1901 und 1907 betrat George weder italienischen noch französischen Boden. 1901 erschienen aber auch in der* FIBEL *zusammengefaßt zum ersten Mal Jugendgedichte Georges aus den Jahren vor den* HYMNEN *(1886–1889), 1903 Georges einziger Prosaband* TAGE UND TATEN, *Georges spezifische Anverwandlung des ›Poème en Prose‹ vorstellend. Es war eine Zeit der Beschäftigung mit der deutschen Klassik und Romantik (1900 erschien* DEUTSCHE DICHTUNG I: JEAN PAUL, *1901* DEUTSCHE DICHTUNG II: GOETHE, *1902* DEUTSCHE DICHTUNG III: DAS JAHRHUNDERT GOETHES, *von Klopstock zu*

C. F. Meyer reichend), der Annäherung an und Auseinandersetzung mit dem Gedankengut von Alfred Schuler und Ludwig Klages, der Teilnahme an kosmischen Festen und der schließlichen Distanzierung von den »Wahneswelten«.
Es war auch die Zeit, in der George noch einmal zur dramatischen Form zurückkehrte, mit dem Weihespiel DIE AUFNAHME IN DEN ORDEN *(BV 1900/01), und Impulse für eine Erneuerung des Theaters zu geben versuchte. Spuren dieser dialogischen Arbeit wie des damit verbundenen Rückblicks auf frühere eigene Versuche* (PHRAORTES, MANUEL) *finden sich im Zyklus* GESTALTEN (Manuel und Menes, Algabal und der Lyder). *Neubeginn und zukunftsweisend aber war die 1900 einsetzende Übertragung von Dantes »Divina Comedia«. Gestalt und Werk Dantes gewinnen in den kommenden Jahren in vielfacher Hinsicht wachsende Bedeutung für George (vgl.* Dante und das Zeitgedicht)*: Der Dante des »Inferno« als vehementer Kritiker seiner Zeit, als Visionär* (ZEITGEDICHTE), *als Liebender der »Vita Nuova«* (GEZEITEN) *und als Mystiker der Liebe* (MAXIMIN). *Die Doppeltendenz von visionärer Zeitkritik und transzendentalem Aufschwung hat ihre Parallele in Dante. Vertreten ist sie idealtypisch in den beiden – formal ebenfalls auf Dante verweisenden – Terzinengedichten* Widerchrist *und* Entrückung. *Dieser Nähe zu Dante über Jahrhunderte hinweg verlieh George bildhaften Ausdruck, indem er 1904 am Maskenzug als Dante teilnahm und einige seiner Dante-Übertragungen sprach. Mehrfach wurde von Freunden Georges physiognomische Ähnlichkeit mit Dante behauptet. Daß das Dantesche »Paradies«, in Georges Übertragung »Himmel« genannt, sich in sieben Kreisen aufbaut, mag für die Gestalt des* SIEBENTEN RINGS *Vorbild oder Bestätigung gewesen sein.*
Auf sein Werk zurückschauend sagte George 1919 zu Edith Landmann: »Im TEPPICH *schien das Leben schon gebändigt, im* SIEBENTEN RING *bricht alles Chaotische wieder neu herein, wie das Leben eben ist. Etwas so Einheitliches wie der* STERN DES BUNDES *konnte nur entstehen, wo solch ein Chaos vorausgegangen war.« (EL, S. 78).*

ÜBERLIEFERUNG

Die Handschriften befinden sich, soweit nicht anders angegeben, im Stefan George-Archiv Stuttgart. Bei der Transkription von in Versalien geschriebenen Textteilen wurde die gängige Groß- und Kleinschreibung verwendet.

H^1 *Faksimile in: Agora Nr. 11. 1958, S. 69. Original verschollen. Eigenhändige Niederschrift (in Versalien) von* An Karl und Hanna *(S. 165). Überschrift:* An Karl Wolfskehl und Hanna de Haan *Unterschrift:* Stefan George 29 Dezember 1898

H^2 *Briefblatt von George an Friedrich Gundolf vom 10. 8. 1899, Rückseite. Faksimiliert in G/G, S. 35. Eigenhändige Niederschrift (in Kurrentschrift) von* An Gundolf *(S. 165). Keine Überschrift, Unterschrift:* Stefan George

H^3 *Einzelblatt. Eigenhändige Niederschrift (in StG-Schrift) von* An Gundolf *(S. 165). Keine Überschrift, Unterschrift:* Stefan George

H^4 *Einzelblatt, graues Papier, blau und rot beschrieben. Eigenhändige Niederschrift (in Versalien) von* Goethe-Tag *(S. 10). Überschrift:* Noch ein Goethe-Spruch *Unterschrift:* Frankfurt am Main am achtundzwanzigsten August achtzehnhundertneunundneunzig · Stefan George *Aus dem Nachlaß Melchior Lechters*

H^5 *Einzelblatt, Karton. Eigenhändige Niederschrift (in Versalien) von* An Melchior Lechter *(S. 165). Hervorhebungen von* Sinn Seele Sein *durch doppelte Schriftgröße. Überschrift:* An Melchior Lechter *Unterschrift:* Stefan George · Am zweiten October · achtzehnhundertneunundneunzig · · *Aus dem Nachlaß Melchior Lechters*

H^6 *Widmungsexemplar* Der Teppich des Lebens und die Lieder von Traum und Tod mit einem Vorspiel *1899/1900, Vorsatzblatt. Landesmuseum Münster. Eigenhändige Niederschrift wie* H^5. *Unterschrift:* Stefan George · Berlin 1899 · *Aus dem Nachlaß Melchior Lechters*

H^7 *Einzelblatt, schwarz, blau und rot beschrieben. Eigenhändige Niederschrift (in Versalien) von* Wenn dich meine wünsche umschwärmen *(S. 67). Widmung:* An Melchior Lechter · Gedenken seiner dunklen und meiner lichten Stunden · in den weihevollen Räumen · zur Zeit der lezten Herbst-tage achtzehnhundertneunundneunzig · *Überschrift:* Traumdunkel *Unterschrift:* Stefan George *Aus dem Nachlaß Melchior Lechters*

H^8 *Einzelblatt. Eigenhändige Niederschrift (in StG-Schrift) von* Wenn dich meine wünsche umschwärmen *(S. 67). Aus dem Nachlaß Friedrich Gundolfs*

H^9 *Einzelblatt. Eigenhändige Niederschrift (in StG-Schrift) von* Für heute lass uns nur von sternendingen reden *(S. 68). Über dem Text rechts:* Am 23. und 24. März 1900 *Unterschrift:* Stefan George *Aus dem Nachlaß Friedrich Gundolfs*

H^{10} *Einzelblatt. Eigenhändige Niederschrift (in StG-Schrift) von* Stern der dies jahr mir regiere *(S. 69). Aus dem Nachlaß Friedrich Gundolfs*

H^{11} *Einzelblatt, hellbraunes Papier, violett beschrieben. Eigenhändige und überarbeitete Niederschrift (in Versalien) von* Porta Nigra *(S. 16). Überschrift:* Porta Nigra/Ingenio · Al · Scolario · *Textveränderungen zu Vers 17/18 interlinear (in Versalien, zwei unterschiedlichen Kurrentschriften), zu Vers 20 am Rand mit Bleistift (in Kurrentschrift), zu Vers 31 am Rand (in Versalien)*

H^{12} *Faksimile in: Ludwig Klages: Handschrift und Charakter. 1917, Tafel XXVI, Nr. 113. Original verschollen. Eigenhändige Niederschrift (in StG-Schrift) von* Der Kampf *(S. 37) Vers 1–7*

H^{13} *Doppelblatt, graues Papier, blau und gold beschrieben. Eigenhändige und überarbeitete Niederschrift (in StG-Schrift) von* Der verwunschene Garten (S. 122). Überschrift (in Versalien): Der verzauberte Garten *Textveränderungen zu Vers 5, 7, 29 am Rand, Vers 33 und 40 interlinear, Vers 43/44, 49 und 53 am Rand mit Bleistift (in unterschiedlichen Kurrentschriften)*

H^{14} *Zwei Doppelblätter, zwei Einzelblätter, beiges Büttenpapier, geheftet, ein Doppelblatt rotes Büttenpapier als Einband; Einband und S. 1–10 blau, rot und gold beschrieben, S. 3–12 mit roten Initialen, dabei S. 11/12 ohne weiteren Text. Eigenhändige Niederschrift (in StG-Schrift) von* Wenn dich meine wünsche umschwärmen *(S. 67)* Für heute lass uns nur von sternendingen reden *(S. 68)* In zittern ist mir heut als ob ich in dir läse *(S. 71)* Betrübt als führten sie zum totenanger *(S. 72)* Du sagst dass fels und mauer freudig sich umwalden *(S. 73)* Zu eines wassers blumenlosem tiegel *(S. 75)* Trübe seele – so fragtest du – was trägst du trauer *(S. 74)* So holst du schon geraum mit armen reffen *(S. 76) sowie Initialen* N *und* D *(falsche Lesung* O, *G/G, S. 115) auf den folgenden zwei Seiten. Auf dem Einband und S. 1 linksdrehende Swastika im Kreis. Titel:* ΙΜΕΡΟΣ ΠΑΘΟΣ ΧΑΡΙΣ *(Sehnen/Leiden/Danken). Widmung (in Versalien):* Diese Gedichte/Dem getreuesten Friedrich Gundolf · zum Andenken · im Juni 1902/ Stefan George *Aus dem Nachlaß Friedrich Gundolfs*

H^{15} *Einzelblatt, Bütten, am unteren Rand abgeschnitten (Schriftspuren). Eigenhändige Niederschrift (in StG-Schrift) von* Ernesto Ludovico: Die Sept. Mens. Sept. *(S. 167). Überschrift (in Versalien):* Ernesto Ludovico Hassiae Magn: Duc: In Mem: D: Sept: M: Septembr: Ann: MDCDII. *Am Rand* DE, *vermutlich Federprobe. Textveränderungen zu Vers 4 mit anderer Tinte*

H^{16} *Einzelblatt. Eigenhändige Niederschrift (in StG-Schrift) von* An Sabine *(S. 168). Widmung:* (Für Sabine Lepsius in die »Tage und Taten« geschrieben) *Überschrift:* Zum october 1903 *Aus dem Nachlaß Karl Wolfskehls*

H^{17} *Photokopie des Vorsatzblatts von* TAGE UND TATEN *1903. Original (teilweise zerstört) in Privatbesitz. Faksimiliert in: Galerie Gerda Bassenge, Berlin: Auktion 35, 1980, S. 432. Eigenhändige Niederschrift (in StG-Schrift) von* An Sabine *(S. 168). Überschrift:* Zum October 1903 *Widmung:* Stefan George/Seinen freunden: Reinhold und Sabine Lepsius

H^{18} *Einzelblatt. Eigenhändige Niederschrift (in StG-Schrift) von* In Memoriam Elisabethae *(S. 168). Überschrift (in Versalien):* In Memoriam *Aus dem Nachlaß Anna Georges*

H^{19} *Einzelblatt, graugrünes Büttenpapier, am oberen und am unteren Rand abgerissen, Schriftspuren. Eigenhändige Niederschrift (in StG-Schrift) von* Landschaft I *(S. 118) Vers 9–17*

H^{20} *Einzelblatt, einseitig blau mit roter Initiale beschrieben. Faksimiliert auf zwei Seiten im Anhang von GA VI/VII. Eigenhändige Niederschrift (in StG-Schrift) von* Nacht *(S. 121). Keine Überschrift*

H^{21} *Briefblatt, Rückseite von George an Carl August Klein vom März 1904. Eigenhändige Niederschrift (in StG-Schrift) von* An Carl August Klein *(S. 169). Überschrift:* An C. A. Klein *Unterschrift:* Im März 1904

H^{22} *Photographie, George-Portrait mit aufgeklebtem kleinen Blatt. Privatbesitz. Vgl. Erläuterung zu* An Hanna mit einem Bilde *(S. 228). Eigenhändige zeilenumlaufende Niederschrift (in StG-Schrift) von* An Hanna mit einem Bilde *(S. 170). Überschrift:* Für Hannah Wolfskehl: *Unterschrift:* M · jänner 1905

H^{23} *Einzelblatt, Briefbogen mit Urnensignet. Eigenhändige Niederschrift (in StG-Schrift) von* An Robert: I Brücke *(S. 170). Überschrift:* An Robert/(In · R · *Unterschrift:* St. G. *Aus dem Nachlaß Friedrich Gundolfs*

H^{24} *Faksimile in: GA VI/VII Anhang. Original verschollen. Eigenhändige Niederschrift (in Kurrentschrift) von* Das kampfspiel das · wo es verlezt · nur spüret *(S. 81)*

H^{25} *Einzelblatt, Briefbogen mit Urnensignet. Eigenhändige Niederschrift (in StG-Schrift) von* An Ernst *(S. 171). Überschrift:* An Ernst *Unterschrift:* St. George *Aus dem Nachlaß Ernst Gundolfs*

H^{26} *Einzelblatt. Eigenhändige Niederschrift (in StG-Schrift) von* Mein kind kam heim *(S. 143). Überschrift (in Versalien):* An mein Kind: *Aus dem Nachlaß Friedrich Gundolfs*

H^{27} *Einzelblatt. Eigenhändige Niederschrift (in StG-Schrift) von* Mein kind kam heim *(S. 143). Überschrift (in Versalien):* An mein Kind *Aus dem Nachlaß Sabine Lepsius'*

H^{28} *Faksimile in: J. A. Stargardt, Marburg: Katalog 630, November 1983, S. 39. Original in Privatbesitz. Eigenhändige Niederschrift (in StG-Schrift) von* An Lothar *(S. 171). Überschrift:* Sonntag im November

H^{29} *Einzelblatt. Eigenhändige Niederschrift (in StG-Schrift) von* Eingang *(S. 115). Keine Überschrift. Widmung (in Versalien):* Für Melchior im November 1905 *Aus dem Nachlaß Melchior Lechters*

H^{30} *Einzelblatt. Eigenhändige Niederschrift (in StG-Schrift) von* Einem Dichter *(S. 172). Überschrift:* W. W. *Unterschrift:* Jena 1906 *Aus dem Nachlaß Berthold Vallentins*

H^{31} *Einzelblatt, violettes Papier, blau und rot beschrieben. Eigenhändige Niederschrift (in StG-Schrift) von* Einverleibung *(S. 109). Überschrift (in Versalien):* Kommunion *Unterschrift (in Versalien):* Für Melchior Lechter abgeschrieben am vierten

Februar des Jahres neunzehnhundertundsieben · von seinem treuen Freund Stefan George *Aus dem Nachlaß Melchior Lechters*

H^{32} *Photokopie. Original in Privatbesitz. Eigenhändige Niederschrift (in StG-Schrift) von* An Derleth *(S. 172) Vers 5–8. Überschrift (in Versalien):* An Derleth *Unterschrift:* St. George

H^{33} *Faksimile in: Christine Derleth: Das Fleischlich-Geistige. Bellnhausen 1973, S. 143. Eigenhändige Niederschrift (in StG-Schrift) von* An Anna Maria *(S. 173) Vers 1–4. Überschrift (in Versalien):* Spruch Anna Maria's: *Unterschrift:* St. George

H^{34} *Widmungsexemplar* DER SIEBENTE RING *1907, Vorsatzblatt. Eigenhändige Niederschrift (in StG-Schrift) von Vers 12* Flammen *(S. 85). Unterschrift:* Stefan George *Aus dem Nachlaß von Reinhold und Sabine Lepsius*

H^{35} *Photokopie. Original in Privatbesitz. Eigenhändige, zeilenumlaufende Niederschrift (in StG-Schrift) von* Das Zeitgedicht *(S. 32) Vers 31/32. Unterschrift:* S. G.

h^{1} *Doppelblatt, Innenseiten beschrieben. Niederschrift Friedrich Gundolfs (in Kurrentschrift) von* Das Zeitgedicht *(S. 6). Überschrift von Georges Hand (in Versalien):* Das Zeitgedicht *Aus dem Nachlaß Sabine Lepsius'*

h^{2} *Einzelblatt. Niederschrift Friedrich Gundolfs (in StG-Schrift) von* In Memoriam Elisabethae *(S. 168). Überschrift (in Versalien):* In Memoriam *Unterschrift:* Stefan George *Aus dem Nachlaß Friedrich Gundolfs*

h^{3} *Niederschrift Max Kronbergers von* Die Verkennung *(S. 95) in: Stefan George. Erinnerungen von Max Kronberger. München von dem Jahr 1902 an. Heft 1, S. 31/32. Keine Überschrift. Aus dem Nachlaß Maximilian Kronbergers*

h^{4} *Niederschrift Max Kronbergers von* An Karl und Hanna *(S. 165) in: Stefan George. Erinnerungen von Max Kronberger. München von dem Jahr 1902 an. Heft 1, S. 66. Keine Überschrift. Aus dem Nachlaß Maximilian Kronbergers*

B IV *Blätter für die Kunst IV 5, Ende 1899, S. 131f.:* Goethe-Tag *(S. 10). Überschrift:* Noch ein Goethe-Spruch

B V *Blätter für die Kunst V, Mai 1901, S. 5f.: überschrieben* NIETZSCHE · BÖCKLIN: Nietzsche *(S. 12), S. 16–23: überschrieben* NEUE GEDICHTE: An Melchior Lechter *(S. 165)* Wenn dich meine wünsche umschwärmen *(S. 67)* Für heute lass uns nur von sternendingen reden *(S. 68)* Stern der dies jahr mir regiere *(S. 69)* Betrübt als führten sie zum totenanger *(S. 72)* Du sagst dass fels und mauer freudig sich umwalden *(S. 73)* Der Spiegel *(S. 75)* Trübe seele – so fragtest du – was trägst du trauer *(S. 74)*

B VI *Blätter für die Kunst VI, Mai 1903, S. 1–14: überschrieben* ZEITGEDICHTE: Das Zeitgedicht *(S. 6)* Dante und das Zeitgedicht *(S. 8)* Böcklin *(S. 14)* Porta Nigra *(S. 16)* Franken *(S. 18)* Leo XIII *(S. 20)* Die Gräber in Speier *(S. 22)*

B VII *Blätter für die Kunst VII, Ende März 1904, S. 12–19: überschrieben* ZEITGEDICHTE: Das Zeitgedicht *(S. 32)* Pente Pigadia *(S. 24)* Die Schwestern *(S. 26)* Die tote Stadt *(S. 30), S. 20–24: überschrieben* GESTALTEN: Der Kampf *(S. 37)* Litanei

(S. 129) Der Minner *(S. 41), S. 25–27: überschrieben* ERWIDERUNGEN: Das Wunder *(S. 93)* Die Verkennung *(S. 195)* Landschaft I *(S. 118) ohne Überschrift, S. 145f.:* Ursprünge *(S. 116)*

M MAXIMIN. EIN GEDENKBUCH. *Herausgegeben von Stefan George. Blätter für die Kunst, Berlin 1907 [erschien Ende 1906]. 56 nicht paginierte Seiten. Pergamenteinband mit Goldaufdruck. Schwarzer Druck mit roten Titeln auf Japanpapier. Druckvermerk: »Ausschmückung von Melchior Lechter unter dessen Leitung das Werk bei Otto von Holten Berlin C im November des Jahres 1906 gedruckt wurde. Das Bildnis nach einer Lichtaufnahme von St. G. 200 Abzüge in gleicher Ausstattung mit der laufenden Zahl versehen und ein Abdruck auf Pergament.« S. [14–16]:* Auf das Leben und den Tod Maximins: Das Erste *(S. 99)* Das Zweite: Wallfahrt *(S. 100)* Das Dritte *(S. 101)*

A^1 DER SIEBENTE RING. *Blätter für die Kunst, Berlin [Oktober] 1907, 218 Seiten. 500 Exemplare auf gelblichem Bütten in violettem Leinen oder Leder mit Goldaufdruck. Vorzugsausgabe 35 Exemplare in violetter Seide. Schwarzer Druck mit roten Überschriften. Titelblatt und nebenstehend Titelbild (ein auf Bergeshöh kniender Engel, der sieben Sterne abzeichnet); sieben Innentitelblätter mit gegenüberstehender Zierseite (eine bis sieben zum Kreis gebogene Schlangen, die vierte gekrönt), am Schluß zwei Zierseiten (»Ende« und Schlußbild: sieben Schlangen von einem Baum herabhängend). Jede Textseite mit dem gleichen schmalen Rankenrahmen geschmückt. Druckvermerk: »Die gesamte Ausstattung von Melchior Lechter unter dessen künstlerischer Leitung dieses Werk im Sommer neunzehnhundertundsieben bei Otto von Holten Berlin C gedruckt wurde. Ausser der Ausgabe auf Bütten Papier wurden hergestellt 35 Abzüge auf Japanbütten.«*

A^2–A^6 *Zweite bis sechste Ausgabe von A^1 im Verlag Bondi, Berlin 1909 [erschien Ende 1908], 1914, 1919, 1920, 1922. Violetter Papp- oder Leinenband oder Broschur, mit Goldaufdruck*

GA VI/VII *Gesamtausgabe der Werke. Endgültige Fassung, Berlin: Bondi, Bd. VI/VII* DER SIEBENTE RING *1. Aufl. 1931 (GA^1), 2. Aufl. 1941 (GA^2)*

VERZEICHNIS DER ABKÜRZUNGEN

AV	*Albert Verwey: Mein Verhältnis zu Stefan George. Strassburg 1936*
Bibl.	*Georg Peter Landmann: Stefan George und sein Kreis. Eine Bibliographie. 2. Aufl. Hamburg 1976*
EL	*Edith Landmann: Gespräche mit Stefan George. Düsseldorf und München 1963*
EM	*Ernst Morwitz: Kommentar zu dem Werk Stefan Georges. München und Düsseldorf 1960*
ES	*Edgar Salin: Um Stefan George. 2. Aufl. München und Düsseldorf 1954*
G/C	*Stefan George – Ida Coblenz: Briefwechsel. Hrsg. v. G. P. Landmann und E. Höpker-Herberg. Stuttgart 1983*
G/G	*Stefan George – Friedrich Gundolf: Briefwechsel. Hrsg. v. R. Boehringer und G. P. Landmann. München und Düsseldorf 1962*
G/V	*Albert Verwey en Stefan George. De documenten van hun vriendschap. Bijeengebracht en toegelicht door Mea Nijland-Verwey. Amsterdam 1965*
KH	*Kurt Hildebrandt: Erinnerungen an Stefan George und seinen Kreis. Bonn 1965*
KHW	*Kurt Hildebrandt: Das Werk Stefan Georges. Hamburg 1960*
KW/FG	*Karl und Hanna Wolfskehl. Briefwechsel mit Friedrich Gundolf, 1899–1931. Hrsg. v. K. Kluncker. 1. 2. Amsterdam 1976–77*
MB	*Robert Boehringer: Mein Bild von Stefan George. 2. und erg. Aufl. Düsseldorf und München 1967*
MK	*Maximilian Kronberger. Nachlaß. Privatdr. Zürich [1937]*
SL	*Sabine Lepsius: Stefan George. Geschichte einer Freundschaft. Berlin 1935*

B	*Blätter für die Kunst*
Hs	*Handschrift*
RB	*Stefan George: Werke. Ausgabe in zwei Bänden [hrsg. v. R. Boehringer]. 1958, 4. Aufl. 1984 Stuttgart*
SW	*Stefan George: Sämtliche Werke in 18 Bänden. Stuttgart: Klett-Cotta*

VARIANTEN UND ERLÄUTERUNGEN

Der Text ist nach Bd. VI/VII der Gesamtausgabe (GA[1]) wiedergegeben. Im Apparat werden zu den einzelnen Gedichten an erster Stelle, soweit möglich, die Datierung oder Anhaltspunkte zur Datierung mitgeteilt, die Siglenreihe zur frühen (vor A[1]) oder varianten Überlieferung gegeben, anschließend die Varianten verzeichnet, und zwar zusammengefaßt der Befund von nicht gesetzter Interpunktion in den Handschriften und frühen Drucken, lemmatisiert die Abweichungen des Textes und der Interpunktion (hierbei bleibt nur der Unterschied zwischen zwei und drei Punkten unberücksichtigt). Bei starker Varianz wird der Zeuge zusammenhängend wiedergegeben. Wörter, Sachen und Personen werden, soweit notwendig, erläutert.

ZEITGEDICHTE

Die 14 ZEITGEDICHTE *sind im Zeitraum von 1897 bis zum Frühjahr 1904 entstanden. Kriterien für ihre Chronologisierung ergeben sich aus den Daten der Ereignisse, auf die sich die Gedichte beziehen, sowie aus Zeugnissen in Briefen und Berichten. Hierbei handelt es sich in der Regel um termini ante quem non; ein terminus ante quem ist mit dem Zeitpunkt der Drucklegung bzw. des Erscheinens der ›Blätter für die Kunst‹, in denen das jeweilige Gedicht erstmals veröffentlicht wurde, gegeben. Die chronologische Abfolge ist:* Pente Pigadia *(1897)* Die Schwestern *(1898)* Franken *(1898)* Goethe-Tag *(1899)* Nietzsche *(1901)* Böcklin *(1901)* Porta Nigra *(1901)* Leo XIII *(1902)* Die Gräber in Speier, *die beiden* Zeitgedichte, Dante und das Zeitgedicht *sowie* Der Preusse *(1902) und* Die tote Stadt *(1903). Da das* Karl August *überschriebene Gedicht nicht in den ›Blättern für die Kunst‹ veröffentlicht wurde, kann es als einziges nur ungefähr datiert werden (vgl. S. 207). Das Gedicht* Der Preusse *nahm George nicht in den* SIEBENTEN RING *auf. Einzelne Verse sind im Nachlaß überliefert und in RB[4], II S. 612 abgedruckt; auch werden sie SW XVIII wiedergegeben.*

S. 6 Das Zeitgedicht

Entstanden weitgehend vor dem 3. 9. 1902; unter diesem Datum schrieb George an Gundolf: die grosse Zeit-dreiheit ist fast fertig *(G/G, S. 120). Abgeschlossen wohl vor dem 22. 10. 1902; an diesem Tag las George sämtliche in B V und B VI veröffentlichten* ZEITGEDICHTE *im Hause Georg Bondis laut Erinnerungsbericht Karl Wolfskehls, (vgl. ES, S. 199). Erstveröffentlichung in B VI, Mai 1903.*

h^1 B VI

Keine Interpunktion Vers 4, 7, 8, 11 (nach träumen*), 12, 15, 16, 24, 26 (nach* herab*), 32 h^1; Vers 4, 7, 15, 22 (nach* fanfare*), 28 (nach* wechsel*) B VI*

1 genossen] Genossen *B VI* **2** mich –] mich: *h^1* **9** werken] thaten *h^1* **10** sturm] sprung *h^1* **12** lechzend] lechzend *B VI* **14** haus . .] haus. *h^1* **15** kundige] kundigen *h^1* **17** dann] bis *h^1* **18** tönen ·] tönen – *h^1* **20** ver-

dross] verdross, *h*[1] 21 Nun] Heut *h*[1] 22 prunken:] prunken, *h*[1] fanfare] drommete *h*[1] 28 wechsel·] wechsel – *h*[1] gleiche.] gleiche – *h*[1]
1–16: Vgl. BIII/4, S. 98: Seid ihr noch nicht vom gedanken überfallen worden dass in diesen glatten und zarten seiten vielleicht mehr aufruhr enthalten ist als in all euren donnernden und zerstörenden kampfreden? *und BIII/1, S. 1:* wenn nicht einige . . . sich . . . gemüssigt sähen uns etwas wie eine scheu vor dem wirklichen und eine flucht in schönere vorzeiten als losung unterzuschieben! *17: Anspielung auf den Rattenfänger von Hameln.*

S. 8 Dante und das Zeitgedicht.
Zur Datierung vgl. S. 200 zu Das Zeitgedicht. *Von Georges Beschäftigung mit Dante berichtet sein Brief an Friedrich Gundolf vom 28. 1. 1901 (G/G, S. 76f.).*
B VI
Keine Interpunktion Vers 17, 18, 27 B VI
1–8: Die Verse beziehen sich auf Dantes »Vita Nuova«. 9–16: Die Verse beziehen sich auf Dantes vita activa, auf seine Auseinandersetzung mit der Stadt Florenz und dem Heiligen Römischen Reich Deutscher Nation und auf seine schließliche Vertreibung und Verbannung. 17–24 und 25–32: Die Verse beziehen sich auf die »Divina Comedia«, auf »Inferno« und »Paradiso«. 19: lasse *Nachlässige, die Lauen; neben den Maßlosen und den Bösen im »Inferno« vorkommend* (Hölle III). *32: Wörtlicher Rückgriff auf den Schluß des »Paradiso«, den George nicht in seine Dante-Übertragungen aufnahm; XXXIII, 145: »L'amor que muove il sole e l'altre stelle.«*

S. 10 Goethe-Tag
Entstanden am 28. August 1899 laut Unterschrift von H[4] *und einer Äußerung in Georges Brief an Melchior Lechter vom 1. 9. 1899:* Ich lege noch für Sie einen spruch bei der mir am Goethetag gelang und der – ich hoffe – sagt was WIR denken. *(Hs)*
H[4] *B IV*
Keine Interpunktion Vers 11 H[4]*; Vers 11, 15, 19 B IV*
Goethe-Tag] Noch ein Goethe-Spruch *H*[4] *B IV*
2 sommerend] sommer-end *H*[4] 3 standen] schienen *H*[4] 4 gerüst] gerüst – *H*[4] 9 stunden:] stunden · *H*[4] stunden. *B IV* 12 festes menge] festes-menge *H*[4] *B IV* gern] gerne *H*[4] 18 bestaunet!] bestaunet? *H*[4] 19 bückt·] bückt – *H*[4] 21 wehmut] wehmut · *H*[4] barg.] barg? *H*[4] 22 schönerer] grösserer *H*[4] 23 käme –] käme · *H*[4] ginge] schliche *H*[4] 24 vorbei.] vorbei . . *H*[4]
29–32 Doch ahnt ihr nicht was er der staub geworden
Seit solcher frist noch immer euch verschliesst
Und was in ihm dem strahlenden schon lang
Verblichen ist das ihr noch ewig nennt · *H*[4]

29 er] Er *B IV* **31** strahlenden] Strahlenden *B IV*
Der 28. August 1899 war Goethes 150. Geburtstag. Am 31. 8. 1899 schrieb George an Karl Wolfskehl: Am 28ten brach ich im frühen licht auf um des Meisters haus zu begrüssen bevor die menge einfiel . . . (ein wort von mir darüber finden Sie bald gedruckt) *(Hs). Wolfskehl wandte sich am 26. 10. 1899 vor der Erstveröffentlichung des Gedichts kritisch fragend an George: »Der Goethe Spruch! Wie strafend und stolz und wissend! In ihm versteh ich übrigens nicht ganz: V.5: Und tag unirdisch rein und ganz erhaben, nämlich das fehlende Verbum, das eine vielleicht nicht gewollte Härte läßt. Und dann, verzeihen Sie dem ›alten Frager‹ S. 132 V.5 v. unten Und heute bellt allein des volkes* räude *wie ist das? räude ist eine üble Sucht der bellenden Tiere – kann man diese Doppelmetapher halten?« (Hs). George sah keine Veranlassung zu ändern.*
10: Anspielung auf den Evangelienbericht vom ungläubigen Jünger Thomas (Joh. 20, 24ff.)

S. 12 Nietzsche
Entstanden nicht vor dem 5. 8. 1900, Nietzsches Todestag. Erstveröffentlichung in B V, Mai 1901
B V
Keine Interpunktion Vers 2 und 10 (nach qualle*) B V*
3 Also] also *B V* **13** moderdunste] moder-dunste *B V* **32** seele!] seele. *B V*
Am 5. 8. 1900 starb Nietzsche in Weimar
1–3: Vgl. Brief Friedrich Gundolfs an Karl Wolfskehl, 19. 12. 1900: »Nietzsches Haus sah ich in der Frühe von den Morgenwinden umfegt auf der Höhe über Stadt und Hügelland unter fahlgoldnen Schneewolken.« (KW/FG, S. 89) 29/30: Wohl Bezug auf »Das Nachtlied« im zweiten Teil von »Also sprach Zarathustra«: »Nacht ist es: nun erst erwachen alle Lieder der Liebenden. Und auch meine Seele ist das Lied eines Liebenden.« 31/32: Leicht verändertes Zitat aus dem 3. Abschnitt von Nietzsches »Versuch einer Selbstkritik« (Vorrede zur Neuauflage der »Geburt der Tragödie aus dem Geist der Musik« 1886): »Sie hätte singen *sollen diese ›neue Seele‹ – und nicht reden!«*

S. 14 Böcklin
Entstanden nicht vor dem 16. 1. 1901, Böcklins Todestag, und bis April 1902, als George das Gedicht Verwey vorlas (vgl. AV, S. 40). Daß es nicht in B V (Mai 1901) neben Gedichten von Wolfskehl und Gundolf unter der Sammelüberschrift NIETZSCHE · BÖCKLIN *erschien, könnte ein Hinweis darauf sein, daß es erst nach Mai 1901 entstand bzw. abgeschlossen wurde.*
B VI
Keine Interpunktion Vers 11 (nach schürfte*) B VI*
4 nah- und fernen] nah und fernen *B VI* **5** zu. Dir] zu · dir *B VI* Schöne] SCHÖNE *B VI* **19** freuden.] freuden · *B VI* **29** dürfen] dürfen · *B VI*

30 schluchzen] schluchzen – *B VI* walten·] walten. *B VI*
16: Vgl. in den Einleitungen und Merksprüchen *zu B IV/1.2 von 1897:* So sind wir sehend geworden durch männer wie unser Böcklin. *19:* gierde *Rückgriff auf mhd. girde in der Bedeutung von tiefem, starkem Verlangen; auch bei Grillparzer belegt (Grimm)*

S. 16 Porta Nigra
Entstanden nicht vor dem 26. 6. 1901 und vor April 1902. George und Wolfskehl waren im Juni in Trier und sandten Friedrich Gundolf am 26. Juni eine Ansichtskarte der Porta Nigra (G/G, S. 94). George las Verwey das Gedicht im April 1902 vor (AV, S. 40).
H^{11} B VI
Keine Interpunktion Vers 14 und 20 (nach menschen*) H^{11}; Vers 3, 6, 13, 14, 15, 20 (nach* menschen*) B VI*
Ingenio Alf. Scolari] Ingenio·Al·Scolario·*H^{11}* Ingenio Alf: Scolari *B VI*
2 Treverstadt] Trever-stadt *H^{11}* 3 teilte·] teilte. *H^{11}* 7 palästen] palästen·*H^{11}* den] ein *Schreibansatz, sofort geändert zu* den *H^{11}* Gott] Gott: *H^{11}* 8 wagen!] wagen. *H^{11}* 11 lebenschwellend –] leben-schwellend .. *H^{11}* leben-schwellend.– *B VI* 12 trümmer·] trümmer··*H^{11}* trümmer. *B VI* 13 nebel·] nebel. *H^{11}* 14 heilige] heilge *H^{11}* 15 barbarenhöhlen] barbaren-höhlen *H^{11}* 16 tor!] thor. *H^{11}*
17–20 Gehüllt in schwarzen flor der zeit doch stolz
Speit es aus hundert fenstern die verachtung
Auf eure schlechten hütten. Reisst es ein!
Was euch so dauernd höhnet! Sind dies menschen *H^{11}*
Bei mehreren Überarbeitungen erwogen und alternativ zum Text eingetragen: 17 noch stolz doch würdig *oder* noch würdig voll stolz Im schwarzen flor der zeiten doch voll stolz... 18 Wirft 20 Auf eure menschen
21 fürsten priester] priester fürsten *H^{11}* 22 Gedunsne] Gedunsene *H^{11}* 23 befände –] befände! *H^{11}* 24 rühmet:] rühmet! *H^{11}* 26 kräftiger!] kräftiger – *H^{11}* 27 Manlius . .] Manlius – *H^{11}* 30 scheut –] scheut: *H^{11}* 31 nächtige tor] abend-thor *spätere Alternativvariante:* nächtige thor *H^{11}* 32 Cäsaren!] Cäsaren. *H^{11}*
Das Gedicht ist dem Ingenium Alfred Schulers gewidmet, der neben Ludwig Klages und Karl Wolfskehl die maßgebliche Rolle in den Münchner Kosmiker-Kreisen der Jahre 1900–1904 spielte. Georges erste Begegnung mit Schuler (1865–1923) fand 1897 statt; vgl. MB, S. 103–108 wie auch DAS JAHR DER SEELE, A. S. *(SW IV, 82).*
2/3: Der römische Name des heutigen Trier lautete Augusta Treverorum. Trier war zur Zeit der römischen Cäsaren die nördlichste Schwesterstadt Roms, Hauptlager und Residenz römischer Kaiser.

S. 18 Franken

Entstanden wohl nicht vor dem 9. 9. 1898, dem Todestag Mallarmés, und vor dem 5. 8. 1900, dem Todestag Nietzsches (vgl. die Erläuterungen zu 7/8 und 17–28).

B VI

Keine Interpunktion Vers 2, 4, 22, 31 (nach ungewiss*) B VI*

9 märchenruf . .] märchenruf. *B VI* 10 ewig jungen] ewig-jungen *B VI* 12 liess ·] liess . . *B VI* 17 stadt] Stadt *B VI*

Mit dem einstmals politisch-geographischen Namen im Titel weist George auf die geistige deutsch-französische Einheit hin, die er vor der Jahrhundertwende verwirklicht sah (vgl. EL, S. 76).

7/8: Die groß geschriebenen Demonstrativpronomen können auf Böcklin, der in selbst gewählter Verbannung in Italien lebte, und auf Friedrich Nietzsche bezogen werden. 10: Georges Großvater war aus Lothringen nach Büdesheim gekommen. 16–18: Vom Rhein nach Westen *reisend überquert man auf dem Wege nach Paris* Maas *und* Marne. *17–28: In Paris, der* heitren anmut stadt, *begegnete George den genannten französischen Dichtern: Villiers de l'Isle Adam, der bei Napoleon III. (1863) Ansprüche auf den vakanten griechischen Thron geltend machte (vgl. MB, S. 273; 19), Paul Verlaine, den George als Dichter besonders schätzte (vgl. seine Übertragungen in den* ZEITGENÖSSISCHEN DICHTERN*) und Stéphane Mallarmé. Durch Albert Saint-Paul wurde George in den berühmten Dienstagskreis Mallarmés eingeführt. Die gegenseitige Schätzung der beiden Dichter zeigt sich in Briefen und Widmungsexemplaren. George übertrug vor allem die »Hérodiade« Mallarmés ins Deutsche (vgl. GA XVI, 37–44). Vor der Jahrhundertwende starben Villiers (1889), Leconte de Lisle (1894), Verlaine (1896) und Mallarmé (1898). 24:* denkbild *von Winckelmann und Herder im Sinne von symbolum, signum, Sinnbild gebraucht (Grimm); bei George dürfte es sich um eine Nachbildung des holländischen Wortes für Ideal handeln. 27/29f.: An einen dieser* freunde, *Saint-Paul, schrieb George am 23. 1. 1896:* je ne peux penser qu'avec un certain regret à Paris, le seul endroit où j'ai trouvé et possède encore de véritables amis. *(Hs). 32: George sagte (EL, S. 76), der Vers sei nicht wörtlich, aber annähernd aus dem Rolandslied genommen. Größte Ähnlichkeit weist die Prophezeiung am Anfang (IV, Vers 50) auf: »Francs s'en irunt en France, la lur tere – die Franken werden weggehen nach Frankreich, in ihr eignes Land.« (vgl. MB, S. 273, Anm. 18).*

S. 20 Leo XIII

Entstanden zwischen Ende 1901 und Oktober 1902. Die Vers 17–22 in deutscher Sprache zitierte Hymne Leos XIII. trägt die Jahreszahl 1901. George las sein Gedicht im Oktober 1902 bei Georg Bondi, wie Sabine Lepsius im Brief an Reinhold Lepsius vom 24. 10. 1902 mitteilte (Hs: Schiller–Nationalmuseum)

B VI A^1–A^6

8 Hinabsieht:] Hinabsieht · *B VI* **10** rebengarten:] rebengarten · *B VI* A^1–A^6
16 kind] Kind *B VI* **17** knabe] Knabe *B VI* **22** liebe] Liebe *B VI*
George erlebte 1898 auf dem Petersplatz in Rom, wie Papst Leo XIII. den päpstlichen Segen Urbi et Orbi spendete (vgl. Vers 25–32)
6: Der Papst trägt eine dreifache Krone, die Tiara. 12: leichte malve *vgl. Horaz, carmina, I 31, V. 15f.: »me pascunt olivae/me cichorea levesque malvae«. 14ff.: Leo XIII. verfaßte u. a. lateinische Hymnen auf Maria, die Mutter Jesu, und Jesus Christus. 17–22: Übertragung aus der Hymne »In Praeludio Natalis/Jesu Christi Domini Nostri – An. MDCCCCI«. In Georges Bibliothek hat sich ein Bändchen erhalten:Le poesie latine di Papa Leone XIII. Milano 31. 7. 1903, und diesem beiliegend, aus einer Zeitung gerissen, der lateinische Hymnus von 1901. Dort lauten die von George übertragenen Distichen (die in Klammern gesetzten sind in der Übertragung ausgelassen):*

Adsis, sancte Puer, saeclo succurre ruenti:
Ne pereat misere, Tu Deus una salus.
Auspice te, terris florescat mitior aetas,
Emersa e tantis integra flagitiis.
(Per te felici collustret lumine mentes
Divinae priscus Religionis honos.
Ardescant per te Fidei certamina; per te
Victrices palmae, fracta inimica cohors;
Disiecta errorum nubes, iraeque minaces
Restinctae, populis reddita amica quies.)
Sic optata diu terras pax alma revisat,
Pectora fraterno foedere iungat amor.

24: Vgl. »Hyperion« von Friedrich Hölderlin: »Liebe gebar die Welt, Freundschaft wird sie neu gebären« (I, 113) und Georges Abwandlung in Hyperion III *(GA IX, 17):* Liebe gebar die welt · liebe gebiert sie neu.

S. 22 Die Gräber in Speier
Entstanden nach dem 24. 1. 1901, wahrscheinlich erst nach dem 8. 9. 1902, aber vor dem 22. 10. 1902 (vgl. S. 200 zu Das Zeitgedicht*). In Georges Nachlaß aufbewahrt befindet sich eine Zeitungsnotiz aus der »Kleinen Presse« vom 24. 1. 1901 über die Graböffnung. 1902 besuchten George und Gundolf Speyer und sandten am 8. 9. eine Ansichtskarte des Speyrer Doms an Wolfskehl (vgl. G/G, S. 121).*
B VI
Keine Interpunktion Vers 5, 9, 17, 21, 30 B VI
2 streifend.] streifend · *B VI* **4** unserm] unsrem *B VI* **17** steigt] taucht *B VI*
19 ritter ·] ritter! *B VI* **29** Karlen- und Ottonen-plan] Karlen und Ottonenplan · *B VI*
Die Königs- und Kaisergräber wurden 1900 auf Anordnung von Kaiser Wilhelm II. geöffnet.

9–16: Die Strophe gilt den salischen Kaisern Konrad II. (1024–1039), der 1030 mit dem Dombau zu Speyer beginnen ließ; Heinrich III. (1039–1056), und Heinrich IV. (1056–1106), der, um vom Kirchenbann befreit zu werden, 1077 nach Canossa ziehen mußte, der 1105 von seinem Sohn, dem späteren Kaiser Heinrich V., gefangengesetzt und zur Abdankung gezwungen wurde und 1106 starb. 17–24: Die Strophe gilt den Habsburgern, von denen nur Rudolf I. (1273–1291) in Speyer begraben ist. Unter Kaiser Maximilian I. (1493–1519) begann – nach Georges Ansicht – mit der Reformation der Untergang der Habsburger, der sich im dreißigjährigen Krieg (1618–1648), mit der Abdankung 1806 und dem Selbstmord des Thronfolgers 1889 (vgl. auch S. 207 zu Die Schwestern, *Vers 17–24) vollzog. 25–32: Die Strophe gilt den Staufern. Durch die im Dom zu Speyer begrabene Beatrix von Burgund, die zweite Gemahlin Friedrichs I., wird Friedrich II. vergegenwärtigt, der in Palermo begraben liegt. Friedrich II. (1212–1250), im Mittelalter als »stupor mundi« bezeichnet, wird von George* Der Grösste *genannt, um ihn von Friedrich dem Großen von Hohenzollern abzuheben und in seiner Bedeutung über diesen zu stellen. Enzio war der natürliche Sohn Friedrichs II. 32: Agrigent und Selinunt wurden von den Griechen gegründet, die durch die Nennung der Städte als Element neben dem Jüdischen und Römischen (Vers 31) einbezogen werden.*

S. 24 Pente Pigadia

Entstanden nicht vor Juli 1897. In Georges Nachlaß befindet sich ein Artikel der Frankfurter Zeitung vom 5. 7. 1897, der Nachricht über Clement Harris und dessen Tod gibt.

B VII

Keine Interpunktion Vers 7, 24 (nach Verstumpfen*), 25 (nach* ihn*) B VII*

23. April] 29. April *B VII wie auch A[1]-GA, richtiggestellt RB; vgl. Erläuterung*

4 Zu rasche] Zu-rasche *B VII* Ihn] ihn *B VII* **19** tun·] tun. *B VII* **22** Jezt] jezt *B VII* **25** gottes] Gottes *B VII*

Pente Pigadia *(Fünf Quellen) ist der Name des griechischen Ortes, bei dem Clement Hugh Gilbert Harris (1871–1897) im griechisch-türkischen Krieg verletzt wurde. Clement Harris, Pianist, Komponist und Dichter, war Schüler des Hoch'schen Konservatoriums in Frankfurt (1888–1891) und lebte von 1893–1896 in Heidelberg. Nach Aussage Clemens von Franckensteins hat George bei diesem Harris in den Jahren 1895/96 kennengelernt. In die gleiche Zeit weist eine Photographie von Clement Harris in Georges Bingener Photoalbum, die in einem Heidelberger Atelier aufgenommen wurde. 1896 entschloß sich Harris nach Griechenland zu gehen; er lebte auf Korfu und wurde dort zum Anhänger des griechischen Befreiungskrieges gegen die Türken. Er meldete sich als freiwilliger Soldat und zog Anfang April 1897 nach Epirus. Kurz nach Beginn des 30tägigen Krieges wurde er am 23. April in der ersten Schlacht um Pente Pigadia – eine zweite fand am 29. April statt – durch einen Schuß am Bein verletzt. Alle Nachforschungen*

weisen auf den 23. 4. als Todestag hin; vgl. Claus Victor Bock: Pente Pigadia und die Tagebücher des Clement Harris. In: Castrum Peregrini 50. Amsterdam 1961, S. 5–89.
32: fahr *Fährnis, Gefahr (vgl. S. 87,* Lobgesang, *Vers 23).*

S. 26 Die Schwestern
Entstanden nach dem 10. 9. 1898, dem Todestag der Kaiserin Elisabeth von Österreich.
B VII
Keine Interpunktion Vers 14 (nach schrei*), 15 (nach* rettung*) B VII*
13 mitleids . .] mitleids. *B VII* **14** augen ·] augen. *B VII* **19** trübnis. Sie] trübnis · sie *B VII* **26** Beide] beide *B VII* **29** Oder] oder *B VII*
Die Schwestern sind die bayrischen Prinzessinnen Elisabeth (1837–1898) und Sophie (1847–1897), Töchter des Herzogs in Bayern Maximilian Joseph und der Prinzessin Ludovica von Bayern.
9–16: Sophie, die jüngste, *war mit Ludwig II. verlobt. Nach Auflösung des Verlöbnisses heiratete sie Herzog Ferdinand von Alençon, der, zum Hause Bourbon-Orléans gehörig, die drei heiligen Lilien von Frankreich im Wappen führte. Sie starb am 4.5.1897 beim Brand eines Wohltätigkeitsbazars in Paris. 17–24: Elisabeth heiratete Kaiser Franz Joseph I. von Österreich. 1889 verlor sie ihren ältesten Sohn durch dessen Selbstmord. Am 10. September 1898 wurde sie von dem Anarchisten Luccheni ermordet. In den Kreisen um A. Schuler wurde ihr, die als Trägerin kosmischer Kräfte galt, eine Ähnlichkeit mit dem jungen Schuler nachgesagt (Vers 20–22). 21:* verflackte *vgl. S. 215, Erläuterung zu* Flammen, *Vers 3*

S. 28 Carl August
Die Entwicklung der Freundschaft zwischen George und Klein und der Ton des Gedichtes legen die Vermutung nahe, daß das Gedicht vor der TAFEL An Carl August Klein *(S. 169) vom März 1904 entstand.*
George und Klein (1867–1952) besuchten zwar in Darmstadt dieselbe Schule, lernten sich aber erst 1889 in Berlin kennen.
8–11: Mit werk *und* bund *sind die ›Blätter für die Kunst‹, als deren Herausgeber Klein zeichnete, und der sie tragende Freundeskreis gemeint. 17ff.: Vgl. Carl August Klein: Die Sendung Stefan Georges. Berlin 1935, S. 18: »Mochte auch die allzu früh schon mir aufgezwungene Fron eines Broterwerbes mich von des Meisters Seite reissen, mochte ich auch räumlich – nur allzu lange schon – von ihm getrennt sein, die Treue habe ich ihm immer gehalten . . .« sowie die von Edith Landmann überlieferte Äußerung Georges, die Treue im Karl-August-Gedicht beziehe sich auf ein Verhältnis Kleins zu anderen, nicht zu ihm. »Ist man einmal eine Bindung eingegangen, so muss man ihr auch sein Leben opfern können.« (EL, S. 77).*

S. 30 Die tote Stadt

Entstanden etwa August 1903. Maximilian Kronberger notierte am 19. 12. 1903 in seinem Tagebuch: »Weiterhin zeigte ich ihm mein Gedicht ›Die tote Stadt‹ und es stellte sich heraus, daß auch er zur gleichen Zeit ein Gedicht des gleichen Namens verfaßt habe.« (MK, S. 61) Vom Inhalt seines Gedichtes berichtet Kronbergers Brief an O. Dietrich vom 27. 8. 1903 (Hs). Die beiden Gedichte haben außer dem Titel nichts gemein; aber die Gleichzeitigkeit der Entstehung mit Georges Gedicht ermöglicht dessen Datierung.

B VII

Keine Interpunktion Vers 3,8 (nach daliegt*), 10 B VII*

2 saugt ·]saugt: *B VII* 16 zug:] zug. *B VII* 20 quell!] quell · *B VII* 22 Hier] Wir breiten *B VII* saht –] saht: *B VII* 24 länderbreiten!] länderbreiten. *B VII* 29 tod. Schon] tod · schon *B VII* 32 stösst.] stösst! *B VII*

Schon 1894 hatte den ›Blättern für die Kunst‹ II/3 ein Druck von F. Khnopff beigelegen mit dem Titel »Eine tote Stadt« (Une ville morte 1889).

S. 32 Das Zeitgedicht

Zur Datierung vgl. S. 200 Das Zeitgedicht

B VII H[35]

Keine Interpunktion Vers 28 B VII

3 starben:] starben. *B VII* 4 glaube] glauben *B VII* 12 Körper ‹. . .› Boden] körper ‹. . .› boden *B VII* 13 bau ·] bau: *B VII* 18 Nur] nur *B VII* 19 Ertötet] Ertötet · *B VII* 25 jahrtausendalten] jahrtausendfernen *B VII* 27 schwer . .] schwer · *B VII* sie wie wir] s i e w i e w i r *B VII*

31/32 Eins das von je war · keiner kennt es · währet . . Und blum und jugend lacht und sang erklingt . . . *H[35]*

GESTALTEN

Die wenigen datierbaren Gedichte des Zyklus grenzen einen Entstehungszeitraum von Mitte 1901 (König und Harfner) *bis Anfang 1904* (Der Minner) *ein.*

S. 37 Der Kampf

Entstanden im April 1902; vgl. AV, S. 40

H[12] B VII

Keine Interpunktion Vers 2 H[12]

4 gott] Gott *B VII* 6 dem singenden mund] der leier aus gold *H[12]* 7 gruft] schlucht *H[12]* 19 schar . . .] schar. *B VII* 22 licht.] licht! *B VII* 23 Den] Wen *B VII*

4/6: Das Attribut leier aus gold *H[12] kennzeichnet den Gott als Apoll.*

S. 40/41 Der Fürst und der Minner

Nach AV, S. 58 dürften die beiden Gedichte erst nachträglich einander zugeordnet worden sein.

Der Fürst

Das Motto ist dem W.L. *überschriebenen Gedicht aus dem* JAHR DER SEELE *entnommen (SW IV, 72).*

Der Minner

Entstanden Januar/Februar 1904. Am 3.1.1904 schrieb Maximilian Kronberger die erste Fassung seines Gedichtes »Tiefe Augen« nieder. Am 15.2.1904 teilte er O. Dietrich brieflich Georges Ankündigung mit, »daß einige Verse von mir als Motto über eines seiner Gedichte kommen sollen, das im nächsten Heft der Bl. f. d. K. erscheint.« (Hs).

B VII

Keine Interpunktion Vers 15 (nach grüsst*) B VII*

Das Motto steht in B VII nicht in Anführungszeichen, ist aber stattdessen mit M.K. *unterzeichnet.*

Motto, Z. 2 bild:] bild. *B VII* 6 Glücklichen] glücklichen *B VII* 7 Heitren] heitren *B VII* 9 naht] naht · *B VII* 17 Geliebte] geliebte *B VII* Geliebten] geliebten *B VII*

Das Motto stammt aus einem von George nicht ins Gedenkbuch MAXIMIN *aufgenommenen, handschriftlich überlieferten Gedicht M. Kronbergers, dessen erste Verse in der Fassung vom 14.1.1904 lauten: »In deinem Blick wohnt jenes tote Sehnen/ Das starb vom Blütenregen sanft umhüllt./ In deinem Blick liegt jenes fromme Wähnen/ Die Sehnsucht nach erspähtem Bild./ Des Sonntags Trauer wohnt in deinem Blick.« (Hs)*

S. 42 Manuel und Menes

Das Motto sowie die beiden Gestalten stammen aus Georges frühem, den Jahren 1886–1894/95 angehörenden dramatischen Versuch Manuel. *Bruchstücke davon sind in GA XVIII veröffentlicht. Das Motto ist dem 3. Bild der Fassung aus dem Jahre 1888 entnommen. Dort fährt Menes fort:* Gebrochnen herzens leistet ich verzicht/ Und als die menge zögernd rings mich ansah/ Da riet ich abzustehn von meiner tat/ Und auf dein wort zu baun. *(GA XVIII, 20f.)*

S. 44 Algabal und der Lyder

Wie bei Manuel und Menes *greift George hier auf eine frühere Werkstufe zurück (vgl. GA II, 98f.), stellt aber nun dem spätrömischen Kaiser den Lyder gegenüber.*

S. 46 König und Harfner

Entstanden nicht vor Frühsommer 1901. Den Anstoß zu dem Gedicht gab Rembrandts Gemälde »Saul und David«, das George im Frühsommer 1901 mit Fried-

rich Gundolf zusammen in Den Haag sah. Vgl. Gundolf an George, 1.6.1901 (G/G, S.91).

S.48 Sonnwendzug

Das Gedicht zeigt noch den Einfluß A.Schulers; vgl. DAS JAHR DER SEELE, A.S. *(SW IV, 82) und die semantischen Entsprechungen dort:* fackeln, bleichen, dämpfe aus schalen

34ff.: manche ... andre *sind neue grammatikalische Subjekte.*

S.50 Hexenreihen

2: mhd. »span« für Euter und »spanen« für aufziehen hat sich in Spanferkel und in Gespan für Zieh- oder Milchbruder erhalten. 5: glau *hell, scharf, hellsehend (Grimm). Es gehört zur Wortfamilie glühen (engl. glow). 21: »riefe« ist eine Bezeichnung für halbrunde Längsvertiefungen, Furchen, Rillen, besonders in Säulen (Grimm). 34:* kafiller *ist der Abdecker, der Wasenmeister.*

S.52 Templer

Entwurf einer aristokratischen in Ordensform organisierten Männergesellschaft nach dem Vorbild der Templer (1119 gegründeter, 1312 wegen angeblicher Häresie und Unsittlichkeit aufgelöster Ritterorden), und der Rosenkreuzer (im 17.Jahrhundert gegründete Bruderschaft), deren Symbole Kreuz und Rose sind.

1: laufe *im Sinne von Zeitalter, Zeitläufte. 6: Schwert und Spille vertreten im Mittelalter häufig den männlichen und den weiblichen Kulturbereich;* spille *ist eine Bezeichnung für Spindel. 21–24: Die Erziehung des Nachwuchses ist Thema von* Die Hüter des Vorhofs *29:* die grosse Nährerin *ist Mutter Erde.*

S.54 Die Hüter des Vorhofs

Morwitz weist in seinem Kommentar auf eine historische Parallele zu diesem poetischen Entwurf hin, und zwar auf die ihm von George berichtete, allerdings auf entgegengesetzte Ziele gerichtete Jünglingserziehung des 1081 gegründeten Geheimbunds der Assassinen durch den »Alten vom Berg« (EM, S.246f.) Vgl. auch Ernst Kantorowicz: Kaiser Friedrich der Zweite. Berlin 1927, S.178. Die Kenntnis von den Assassinen kann George durch Derleth vermittelt worden sein, in dessen 1904 erstmals veröffentlichten »Proklamationen« sie vorkommen (vgl. Ludwig Derleth: Die Proklamationen. München 1919, S.39).

S.56 Der Widerchrist

2/3: Anspielung auf zwei Wundertaten Jesu, die Verwandlung von Wasser in Wein bei der Hochzeit zu Kana, vgl. Joh. 2, 1f. sowie die Erweckung der Toten, vgl. Joh. 11 Die Auferweckung des Lazarus. 6: hamen *ist ein Fangnetz. 8: Schon das einfache Verb* klittern *hat die Bedeutung von spalten, zerkleinern; es findet nur regional Verwendung. 19:* Fürst des Geziefers *Beelzebub (Beelzebul). Der Name geht wahrscheinlich zurück auf »Baal-Zebul« (der Herr, der Erhabene), Gott der Philisterstadt Ekron, dessen Name hebräisch zu »Baal Sebub« Fliegen-Baal entstellt wurde. Im Neuen Testament (Mark. 3,22; Luk. 11,15) heißt der oberste Teufel Beelzebub.*

S. 58 Die Kindheit des Helden
7/8: sprenkel *ist ein Vogelstrick, eine Vogelfalle und wird mit den Verben* aufstellen *und* setzen *verbunden. Die Georgesche Verbindung ist bei Grimm nicht nachgewiesen. Im Holländischen hat Sprenkel die allgemeine Bedeutung von Tau, Seil, Schlinge; eine entsprechende Verwendung bei George wäre möglich.*

S. 62 Einzug
A^1–A^6
19 kluft] schlucht *indirekt überlieferte Variante einer früheren, verschollenen Fassung, vgl. EM, S. 251* **20** luft] luft – A^1–A^6, A^5 A^6 *durch Manualkorrektur*

GEZEITEN

Die ersten zwölf Gedichte (S. 67–78) sind nicht vor August 1899 entstanden, denn sie gestalten Georges Erleben mit Friedrich Gundolf (1880–1931). Am 30.5.1900 schrieb George an Melchior Lechter: Anspinnend an das Ihnen bereits in Berlin überreichte gedicht *(H^7)* hat sich nach und nach eine ganze reihe von werken entwickelt die sie als freund nicht sowohl künstlerisch bestaunen werden – sonder[n] auch mit vielen menschlichen ausruf- und fragezeichen lesen werden. Weit davon entfernt zu warten bis das ganze als buch vorliegt werde ich viel mehr christlich und liebreich Ihnen einen auszug davon senden – so bald eine genügende anzahl von teilen eine gewisse abrundung zulässt *(Hs) und am 2.1.1901 erkundigte sich Lechter, der im September 1900 George in Bingen gesehen hatte, nach »den zwölf Gedichten«, die er am 11.4. wohl mit Bezug auf H^7 »Traumlieder« nennt (Hs). Im Mai 1901 lagen das erste bis dritte und das sechste bis neunte in BV gedruckt vor. Die Friedrich Gundolf im Juni 1902 zugeeignete Abschrift (H^{14}) umfaßt 6 dieser 7 Gedichte* (Stern der dies jahr mir regiere *fehlt) sowie* Sang *und* So holst du schon geraum. *Die Reihenfolge der Gedichte in H^{14} entspricht mit einer Ausnahme derjenigen des Zyklus:* Der Spiegel *steht vor* Trübe Seele – so fragtest du. *Die Handschrift sollte ursprünglich 10 Gedichte umfassen. Die freistehende Initiale* D *auf der letzten Seite könnte mit dem Beginn des Gedichtes* Danksagung (Die) *in Verbindung gebracht werden, das wie* Umschau, Gegensang *und* Abschluss *zuerst 1907 in A^1 erschien. Für die Initiale* N *findet sich unter den Anfängen der Gedichte in der vorliegenden Fassung keine Entsprechung.*
Die folgenden sechs Gedichte (S. 79–84) sind nach dem 31. März/1. April 1905, der ersten Begegnung Georges mit Robert Boehringer (1884–1974), entstanden und sprechen vom ersten Jahr dieser Freundschaft. Anhaltspunkte zur Datierung der einzelnen Gedichte fehlen hier fast

ganz, ebenso für die letzten drei, den Zyklus abschließenden. Der Titel des Zyklus lautet in einem Brief Melchior Lechters an George vom 6. 5. 1907 noch Halljahr *(Hs). Im alten Testament ist das 50. Jahr (nach 7 x 7 Jahren) das Jubel- und Feierjahr, das durch den Hall der Posaunen verkündet wird (3. Mos. 25, 10.11), das Jahr der Wiederherstellung der Besitzverhältnisse im ganzen Lande. Freiere Verwendung des Wortes ist nachzuweisen, z.B. bei Jean Paul im Anhang des »Titan« (Grimm). In* Nun lass mich rufen *(S. 84) kommt in Vers 3 das Wort* Gezeiten *vor, jedoch nicht vorrangig im Sinne von Ebbe und Flut, sondern von Jahreszeiten.*

S. 67 Wenn dich meine wünsche umschwärmen

Entstanden wohl nicht vor August 1899, vor Gundolfs ersten Besuchen in Bingen, aber vor Herbst 1899 laut Datierung von H^7.

H^7 H^8 *B V* H^{14}

Keine Interpunktion Vers 10 und 11 H^7; Vers 6, 11, 12, 14, 18, 21 H^8; Vers 6, 11, 14, 21 B V; Vers 6, 11, 14 H^{14}

Überschrift Traumdunkel H^7

3 härmen:] härmen .. H^7 härmen – H^8 *B V* H^{14} 4 So] Dann H^7 5 dränge] drängte H^7 12 uns] dir H^7 H^8 13 nacht] Nacht H^8 14 entfliegt·] entfliegt. H^7 15 klingenden] leuchtenden H^{14} 16 Umglänzt und geführt] Geführt und umglänzt H^7 17 träume] töne H^7 18 So hoch dass die schwere mir wich –] Dir gleich – dass dein reiz etwas blich ... H^7 19 Dir brachten die träume die] Die träume entlockten dir H^7 20 mich ...] mich. H^8 21 bleiche] müde H^7 wund·] wund – H^7

Ob George in H^7 das Gedicht einem 1899 schon geplanten Zyklus TRAUMDUNKEL *zuordnen wollte oder* Traumdunkel *hier nur Gedichttitel ist, läßt die Überlieferung nicht erkennen.*

S. 68 Für heute lass uns nur

Entstanden März 1900, wie aus der Datierung von H^9 auf den 23. und 24. März zu schließen ist.

H^9 *B V* H^{14}

Keine Interpunktion Vers 1 B V; Vers 1,2 (nach jauchzen*), 4 H^{14}*

2 Ich möchte jauchzen·doch ich bin vom wunder bleich:] Denn meine seele jauchzt und ist vom wunder bleich .. H^9 Ich möchte jauchzen doch ich bin vom wunder bleich – H^{14} 3 Veden] veden H^{14} 4 Und bricht des] Und eines H^9 fingerstreich·] fingerstreich – H^9 5 eden] Eden H^9

S. 69 Stern der dies jahr mir regiere

Entstanden vor Mai 1901, dem Erscheinen von B V

H^{10} *B V*

Keine Interpunktion Vers 1, 8, 14 H^{10}; Vers 8 B V

2 keim-monats] keimmonats H^{10} *B V* 4 verziere ..] verziere: H^{10} verziere –

B V 5 in lächelndem] im lächelnden H^{10} 6 getöse·] getöse! H^{10} *B V* **17** meine] meinen H^{10} **18** frühwolken] früh-wolken H^{10}

2: keimmonat *21. März bis 18. April. 19/20:* Doniazade *und ihre Schwester Scheherazade sind Gestalten aus den »Märchen von Tausend und einer Nacht«, die Lauschende und die Erzählende.*

S. 71 Sang und Gegensang

Sang

Entstanden vor der Niederschrift von H^{14}, vor Juni 1902

H^{14}

Keine Überschrift H^{14}

1–8 In zittern ist mir heut als ob ich in dir läse
Zu unsrem glück noch viel von fremdem geist
Als gälte dir nicht mehr als schaumiges gebläse
Was mir den atem schwellt·im blut mir kreist.

Du kannst nicht wie ich deins mein leben in dich saugen?
O löse mich von meiner wilden angst:
War das mein blick der schein aus deinen toten augen?
War das mein hauch als du gebrochen sangst? H^{14}

3 gälte] *Ersatzvariante für* wäre H^{14}

Gegensang

A^1–A^6

2 Versunknen] versunknen A^1–A^6

4: schrunde *Erdspalte*

S. 72 Betrübt als führten sie zum totenanger

Entstanden bis Februar 1901, vor der Lesung des Gedichts bei Wolfskehl; vgl. F. v. d. Leyen: Begegnung mit Stefan George. In: Dichtung und Volkstum. 35. 1934, S. 263f.

B V H^{14}

Keine Interpunktion Vers 10 und 15 B V; Vers 10 H^{14}

2 begegnen] begegnen. *B V* 7 starren] starre H^{14} 12 Umfängt] Umschlingt H^{14} 14 nässe-kaltem] nässekaltem *B V* H^{14} 15 halme:] halme· H^{14} 16 gras . .] gras· *B V* H^{14} 17 anemonen.] anemonen – H^{14} 23 Vorfrühjahrwind] Vorfrühjahr-wind H^{14}

S. 73 Du sagst dass fels und mauer

Entstanden vor Mai 1901, dem Erscheinen von B V

B V H^{14}

Keine Interpunktion Vers 3 B V H[14]
2 trümmerfall.] trümmerfall – *B V H[14]* 4 blüten-überschwall.] blüten-überschwall . . *BV H[14]* 6 schaust . .] schaust – *B V H[14]* 10 dir·] dir – *B V H[14]*
16 vergiesst.] vergiesst . . *H[14]*

S. 74 Trübe seele – so fragtest du
Entstanden vor Mai 1901, dem Erscheinen von B V
B V H[14]
Keine Interpunktion Vers 7 (nach flamme*) B V H[14]*
6 brennt.] brennt? *B V* 11 höherem] höhrem *B V* 13 lieben!] lieben? *H[14]*
14 bot . .] bot – *H[14]*

S. 75 Der Spiegel
Entstanden vor Mai 1901, dem Erscheinen von B V
B V H[14]
Keine Interpunktion Vers 6, 11, 12, 14, 20 B V; Vers 2, 5, 6, 11, 12, 20, 24 (zwischen nicht wir*) H[14]*
Keine Überschrift H[14]
2 wanken] wandern *H[14]* 11 glück] Glück *H[14]* 24 nicht!] nicht. *H[14]*

S. 76 So holst du schon geraum
Entstanden vor der Niederschrift von H[14], vor Juni 1902
H[14]
1-12

So holst du schon geraum aus armen reffen
Dir meine gaben und du schwelgst im glücke.
Von tausend namen womit ich dich schmücke
Von allen küssen die geheim dich treffen

Kennst du noch nichts und trennst nicht in zu junger
Gefolgschaft waffenspiel von wahren siegen.
Nach kurzem tag seh ich dich froh entfliegen.
Wie andren: maass – so ruf ich dir: mehr hunger!

Nur ziemt DIE angst: dass für die uns gewährte
Glückseligkeit wir keim und nahrung speichern
Um andre · nie uns selber zu bereichern
Und süsses licht vergeht und sichre fährte. *H[14]*

1 *Über* aus *kaum erkennbar* m, *möglicherweise Schreibansatz zu »mit« H[14]*
1: reff *Tragekorb oder Traggestell*

S. 81 Das kampfspiel das · wo es verlezt
H^{24}
Keine Interpunktion Vers 2, 3, 4, 5, 6, 7, 8, 10, 11 H^{24}
1 Das kampfspiel das] Der ringkampf der H^{24} es] er H^{24} 3 Das ‹. . .› es] Der ‹. . .› er H^{24} 7 Im grauen der] In qualen d‹er›, qualen *und Ansatz zu Artikel* d *durchgestrichen, darüber* banger H^{24}

S. 84 Nun lass mich rufen
Entstanden nach der letzten Begegnung des Jahres 1905 mit Robert Boehringer im Oktober (Vers 9). Früher im Jahr haben sich George und Boehringer am 31. März/1. April, im Mai/Juni und August gesehen.

S. 85 Flammen
H^{34} ohne Varianten
3: flacken *flackern, lodern, flammen (Grimm), vgl. auch* Die Schwestern *(S. 26), Vers 21:* verflackte

S. 86 Wellen
2: zwieseln *mundartlich für sich gabeln, spalten. 7: Die Myrte war im Altertum der Aphrodite geweiht. 11:* jug *starke präteritale Form von jagen, bei Hamann und Platen nachgewiesen (Grimm).*

MAXIMIN

Dieser Zyklus ist in den Jahren 1903–1906 entstanden, allerdings nur drei der Gedichte (Erwiderungen) *1903, die übrigen mit größter Wahrscheinlichkeit nach April 1904. Im Mittelpunkt des Zyklus steht nicht Maximilian Kronberger (14. 4. 1888–15. 4. 1904), der Münchner Gymnasiast, sondern dessen mythisierte Gestalt Maximin. Den Gymnasiasten und so eifrigen wie begabten Dichter hatte George zum ersten Mal im März 1902 in München getroffen. Ihre Bekanntschaft und Freundschaft währte nur von Januar 1903 bis zum Tode Kronbergers am 15. April 1904. Ende 1906/Anfang 1907 erschien das Gedenkbuch* MAXIMIN, *ausgestattet von Melchior Lechter, mit einer Vorrede (vgl. GA XVII, 73) und drei Gedichten Georges* (Auf das Leben und den Tod Maximins I–III), *solchen von Gundolf, Wolfskehl, Treuge und dem Oheim Maximilian Kronbergers Oskar Dietrich sowie erstmals veröffentlichten Gedichten Maximilian Kronbergers.*

S. 91 Kunfttag II
1–4: Nach jüdischem Brauch wird am Vorabend des Pessachfestes dem Künder der messianischen Zeit, Elia, als einem unsichtbaren Gast ein Platz am Tisch gedeckt und als sinnbildliche Einladung das Haus geöffnet.

S. 93 Erwiderungen: Das Wunder

Entstanden Februar 1903. Unter dieser Zeitangabe notierte Kronberger: »Auf meine Gedichte hin richtete er das Gedicht ›Das Wunder‹ an mich, dessen Abschrift ich aber leider nicht besitze, dann ein zweites: ›Der Jünger blieb in Trauer Tag und Nacht‹. . .« (MK, S. 53)

B VII

Das Wunder] Wunder *B VII* **3** ER] er *B VII*

S. 95 Erwiderungen: Die Verkennung

Entstanden Februar 1903, vgl. Datierung von Das Wunder

h^3 B VII

Keine Interpunktion Vers 3 und 7 (nach zeichen*) B VII*

1–8
Der Jünger blieb in Trauer Tag und Nacht
Am Berg, von wo der Herr gen Himmel fuhr. –
›Ich flehe um ein Zeichen, doch du schweigst,
Ich werde nie mehr deine Stimme höhren
Und deinen Saum und deine Füsse küssen?
So lässest du verzweifeln deinen Treuen?‹
Da kam des Wegs ein Fremder: »Bruder sprich! *h^3*

8 Bruder] bruder *B VII* **11** den] mich *h^3* trost . .] trost · *B VII* **12** vergass] verließ *h^3* **13** schwand . .] schwand · *B VII* **16** Dass] Was *h^3* krankem] wildem *h^3*

Zu den neutestamentlichen Reminiszenzen vgl. Joh. 20,14 u. 21,4; Luk. 24,15; Mark. 16; Matth. 28.

S. 98 Trauer III

1–9: George schrieb an Melchior Lechter, Bingen, 27. 4. 1905: Ich bin die ganze zeit im schatten dieses Toten gewandelt · und als die jährung nahte wurde die traurigkeit immer beängstigender ‹. . .› Ich habe nichts wesentliches seither hervorgebracht vielleicht wenn das buch *(M)* fertig ist dass ich dann von neuem aufblühe! *(Hs)*

S. 99 Auf das Leben und den Tod Maximins: Das erste

Entstanden zwischen April 1904 und April 1905, vor Abschluß des Gedenkbuchs (M), dessen Druckvorlage damals an Lechter abgesandt wurde (vgl G/G, S. 162 sowie die George/Lechter-Korrespondenz (Hs))

M

Keine Interpunktion Vers 7 (nach hand*), 15 M*

2 lehn.] lehn · *M* **3** endes-hauch] endes hauch *M* **14** entschwebt] verschwebt *M* **15** eure stadt die] euer land das *M* **16** gelebt!] gelebt. *M*

Zum Titel vgl. Petrarkas zweiteiliger Canzoniere »in vita« und »in morte di Madonna Laura«. In Georges Nachlaß befindet sich eine Ausgabe der »Rime« von

1887. Hier führen die »Trionfi« den Untertitel »In vita e in morte di Madonna Laura«. Vers 14 greift auf Fritz Kögels Gedicht »Meine Tage« (Pan, 2.Jg. 1896, Heft II, S. 96): »So schleichen sie dahin/ wie Schatten . . .« zurück.

S. 100 Das Zweite: Wallfahrt
Entstanden vermutlich Herbst 1904 während Georges Aufenthalt in Berlin.
M
Keine Interpunktion Vers 7 M
2 stiege –] stiege · *M* 4 Hier ·] Hier – *M* 6 durchs] durch *M* 11 Maria Annens tochter] Maria · Annens tochter · *M* 16 magren] magern *M*
M. Kronberger wurde am 14. 4. 1888 in Berlin, Mariannenplatz 13, geboren. Auf den verkehrsreichen Platz spielt das Kryptogramm an, das durch die Bezeichnung der Maria als Tochter Annas gebildet wird.
19–20: Vgl. Matth. 2,9–11

S. 101 Das Dritte
Zur Datierung vgl. zu Das erste
M
Keine Interpunktion Vers 5 und 6 M
1 glorie:] glorie · *M* 2 Wort] wort *M* sprach.] sprach · *M* 4 macht ihre diener das] machet die diener schon *M* *Der Druckfehler* ihr *GA[1] wurde, A[1]–A[6] und GA[2] folgend, korrigiert.*
2: Vgl. Johannes I,1 »Im Anfang war das Wort, und das Wort war bei Gott, und das Wort war Gott.«

S. 102 Das Vierte
Entstanden nach April 1904
13–16: Es ist möglich, daß George hier auf ein Gedicht M. Kronbergers zurückgreift, das nicht vorliegt; von den überlieferten Gedichten wäre »Ruf an den Frühling« vom Januar 1904 (M, [S. 41]) zu vergleichen.

S. 103 Das Fünfte: Erhebung
Entstanden nach April 1904
3: glinstern *mhd. glänzen; md. glänzen, funkeln, flimmern (Rheinisches Wörterbuch) 13:* glosen *ohne Flamme brennen, glimmen 14: Vgl. 2. Moses 3,2: Der brennende Dornbusch.*

S. 104 Das Sechste
Entstanden nach April 1904
12: Der in GA[1] nach glast *fehlende Schlußpunkt wurde, A[1]–A[6] und GA[2] folgend, ergänzt.*
Wie die meisten anderen Gedichte des Zyklus ist dieses auch eng mit der Dichtung

Maximilian Kronbergers verknüpft; vgl. zu Vers 9 »Das Fest« (MK, S. 22) und zu Vers 19ff. »Landschaft« und »Wir standen einst« (MK, S. 28f.)

Gebete
Zur Deutung der drei Gedichte als Gebete Maximins vgl. EM, S. 282 und KHW, S. 279f.

S. 106 Gebete I
Vgl. Maximilian Kronbergers Gedichte »Fluch« und »O ewiger Gott« (B VIII, S. 9 und 11)

S. 107 Gebete II
Vgl. M. Kronbergers Gedicht »Was stieg ich auf . . .« (B VIII, S. 10)

S. 108 Gebete III
4: Nachklang des Verses aus Goethes »Zueignung«: »Der Tag wird lieblich und die Nacht wird helle.«

S. 109 Einverleibung
H^{31}
Keine Interpunktion Vers 1 H^{31}
Einverleibung] Kommunion *H^{31}*
1 Nun wird wahr] Wahr wird nun *H^{31}* **6** am gleichen] an jedem *H^{31}* **10** geblüte.] geblüte · *H^{31}* **11** Um mich schlingt sich] Mich umwindet *H^{31}* **16** Ferner] Naher *H^{31}* **18** seime.] seime: *H^{31}* **20** umdauert:] umschauert. *H^{31}* **21** schein] glut *H^{31}* **22** Dass aus] Zwischen *H^{31}*
Daß sich eine Handschrift zu diesem Zyklus im Nachlaß Melchior Lechters erhalten hat, dieser vielleicht der einzige war, der je eine Abschrift von George bekam, ist bezeichnend. Bei Lechter konnte George Verständnis für ein Gedicht wie Einverleibung *voraussetzen. Vgl. George an Lechter, 27.4.1905:* Was mir grossen trost gewährte war dass Sie, mein teuerster freund, mich damals begriffen und die rechte auffassung von diesem mir übersinnlichen ereignis hatten – das die menge im günstigsten fall scheel ansehen wird. *(Hs)*
4: Verwandte Formulierungen begegneten George bei Dante: Jungfrau und Mutter! Tochter deines sohnes! *Himmel XXXIII, 1 (GA X/XI, 206). Vgl. auch EM, S. 284*

S. 110 Besuch
12: güldenlack *Goldlack, ein gelb blühender Kreuzblütler, den Minnesängern Symbol immerwährender Liebe. 14:* eppich *apium: Sellerie, wird aber auch für Efeu gebraucht.*

S. 111 Entrückung

Nach einer Äußerung Georges aus späterer Zeit ist das Gedicht als ein Vorausfühlen des eigenen Todes zu verstehen (vgl. Georg Peter Landmann: Vorträge über Stefan George. Düsseldorf und München 1974, S. 158).

TRAUMDUNKEL

Die datierbaren Gedichte grenzen einen Entstehungszeitraum zwischen Frühjahr 1902 (Der verwunschene Garten) *und November 1905* (Eingang) *ein, mit Schwerpunkt in der Zeit vor Maximilian Kronbergers Tod (April 1904). Der Titel* Traumdunkel *kommt zuerst als Überschrift eines Gedichtes vom Herbst 1899 (H^7) vor.*

S. 115 Eingang

Entstanden vor November 1905; vgl. die Datierung von H^{29}

H^{29}

Keine Interpunktion Vers 2, 6, 9, 10 H^{29}

Keine Überschrift H^{29}

1 lebewohl! . .] lebewol! H^{29} 4 karneol.] karneol · H^{29} 11 wohnen . . .] wohnen – H^{29}

12: Zu Traumfittich *vgl.* Geheimes Deutschland *(GA IX, 61):* Fittich des sonnentraums *und zu* Traumharfe *vgl.* Hehre Harfe *(S. 131)* . *Durch diesen Bezug schließt sich der Kreis zwischen dem ersten und dem letzten Gedicht des Zyklus* TRAUMDUNKEL

S. 116 Ursprünge

Nach Auskunft von E. Morwitz an einem Tag im Februar 1904 entstanden (EM, S. 288).

B VII

Die Numerierung der Gedichte und die strophische Gliederung (2 *und* 4) *wurde, B VII folgend, wieder eingeführt.*

Keine Interpunktion Vers 1, 7, 13, 26, 27 B VII

Ursprünge] Ursprünge · Als Preis und Danksagung *B VII*

10 gefild] gefild! *B VII* 11 heiligen] heilgen *B VII* 22 schaar –] schar! *B VII* 23 kohorte!] kohorte. *B VII* 26 Kirche] kirche *B VII* 28 übergab] hielt *B VII* 34 All] all *B VII*

Preis und Danksagung *gelten der Heimat Georges, der einst von den Römern kultivierten, später stark vom Katholizismus geprägten Rheinlandschaft bei Bingen.*

1–9: Vgl. Der kindliche Kalender *(GA XVII, 15f.) 11: Die* rebe *ist Attribut und*

Repräsentant von Dionysos/Bacchus und wird deswegen heilig *genannt. 13:* Pan *als Gott der animalischen Fruchtbarkeit und* Hebe *als Mundschenkin der olympischen Götter wie Personifikation der Jugend verkörpern heidnische Lebensfülle. 26–31: Zum Verhältnis von heidnischer Klassik und christlicher Gotik vgl.* Standbilder · Die beiden ersten *(SW V, 54). 32f.: Vgl.* Der kindliche Kalender *(GA XVII, 14):* . . . sassen wir im weidicht und schnitten aus den lockergeklopften rinden uns flöten und pfeifen; *vgl. auch* Weihe *V. 1f. (GA II, 12) 34–39: Der* sang den keiner erfasste *die Sprache der beiden letzten Verse. Es ist das einzig überlieferte Beispiel jener von George geschaffenen Geheimsprache, in die er den 1. Gesang der Odyssee übersetzte. In seinem Nachlaß findet sich ein blauer Schulheftdeckel mit der Aufschrift* Odyssaias I. *Dies läßt vermuten, daß die Geheimsprache schon während Georges Schulzeit entstand. Vgl. MB, S. 17.*

S. 118 Landschaft I

Entstanden vor Ende 1903. Am 29. 4. 1904 schrieb Melchior Lechter mit Bezug auf B VII an George: »das mir schon durch Ihren Vortrag bekannte ›Es fallen blüten‹ . . .« (Hs). Er hatte George zuletzt Okt./Nov. 1903 in Berlin gesehen.
H^{19} B VII
Keine Interpunktion Vers 11, 12, 13 (nach gebräm*), 14, 15 H^{19}; Vers 22 B VII*
Keine Überschrift, stattdessen die ersten Worte des letzten Verses Es fallen blüten . . . *wie ein Motto B VII*
4 purpur] purpur – *B VII* 9 durch] *alternativ* in H^{19} 11 abends] abend H^{19} 13 Nachtschatten ranken] Nachtschattenranken H^{19} 14 wall] wald *zu* wall *geändert* H^{19} blutigen] blutigem H^{19} *B VII* 15 vorn . .] vorn · *B VII* 16 käm! . .] käm . . . H^{19} 18 kommt] wird *B VII* 20 Weithin . .] Weithin · *B VII* 23 lau . . .] lau – *B VII*
13: gebräm *Verbrämung, Einfassung wie Besatz von Kleidern; »bram« (m.) Ginster, »brame« (f.) Strauch, an dem man hängen bleibt, aber auch Gebüsch, das den Feldrand säumt (Grimm) 20: Violen sind Veilchen oder Nachtviolen*

S. 120 Landschaft III

Entstanden nicht vor August 1904, möglicherweise Juli/August 1906; zu dieser Zeit machte George jeweils mit Friedrich Gundolf Gebirgswanderungen in der Schweiz; vgl. Gundolfs Brief an George vom 18. 8. 1904 (G/G, S. 157f.) und Gundolf an Wiesi de Haan, 30. 7. 1906 (G/G, S. 175).
9: runnen *andere Ablautstufe (mittelniederdeutsch) zu Rinne mit der Bedeutung von Gießbach, Felsenschlucht; vgl. englisch runnel. 21:* arven *Zirbelkiefern*

S. 121 Nacht

H^{20}
Keine Interpunktion Vers 5, 12, 14, 17 (nach wach*), 19, 21, 24, 25 H^{20}*
Keine Überschrift H^{20}

1 weit.] weit ... H^{20} 8 empor:] empor · H^{20} 15 durch] in H^{20} 16 bund?] bund? .. H^{20} 17 Horch] Horch! H^{20} 23 Uns:] Uns – H^{20}

S. 122 Der verwunschene Garten
Eine Datierung auf das Frühjahr 1902 wird durch Georges Brief an Friedrich Gundolf vom 28.3.1902 (s. u.) nahegelegt.
H^{13} GA^{1}
Keine Interpunktion Vers 1,2 (nach Garten*), 4, 5, 14, 16, 17, 18 (nach* wort*), 20, 21, 24, 25, 28, 31, 35, 40, 41, 42, 44, 45, 46, 47, 48, 52, 53, 54* H^{13}
Der verwunschene Garten] Der verzauberte Garten H^{13}
2 weit ..] weit – H^{13} 3 steilen gebüsche] beete und mauern H^{13} 4 nie furchendem] nie-furchendem H^{13} 5 Lispelnde] Klagende *alternativ* Lispelnd H^{13} 7 laub] hain *alternativ* laub H^{13} 11 palast:] palast · H^{13} 12 silbern ..] silbern – H^{13} 13 brokat.] brokat – H^{13} 16 Und] Doch H^{13} 20 ihr der tag] ihr tag H^{13} 22 getrübt.] getrübt .. H^{13} Jenseit] Jenseits GA^{1} *wurde,* H^{13} A^{1}–A^{6} *und* GA^{2} *folgend, emendiert* mattrot- und goldene] mattrot und goldene H^{13} 25 Bleich] Bleiche H^{13} 26 nicht ist ihm freude und trost des gefolges genehm H^{13} 27 Immer in jugend und welke schaut er ins blau *alternativ* Jung und in welke: so streckt er die arme ins blau H^{13} 29 Er der der eigenen hoheit glanz nicht gewahrt *alternativ* Der nicht der eigenen würde bekrönung bewahrt H^{13} 30 vertraulicher art ...] in traulicher art – H^{13} 33 antlitze schönheit- und leid-überfüllt] antlitz von schönheit und leid überfüllt *ein* e *nach* antlitz *zugefügt und* von *gestrichen* H^{13} 34 enthüllt!] enthüllt .. H^{13} 37 von frommem] vom frommen H^{13} 39 von demütigem] vom demütigen H^{13} 40 Adel und] Adliger *alternativ* Adel und H^{13} **42/44** Wer] Der H^{13} **43/44** *Verse ursprünglich in umgekehrter Reihenfolge, später durch Ziffern umgestellt* H^{13} 43 gesind –] gesind. H^{13} 47 Gleitet] Steiget H^{13} 49 kreis der] schaar die *alternativ* kreis ‹der› H^{13} 50 Der seiner] Die ihrer H^{13} entriet:] entriet. H^{13} 53 stummes] flehend *alternativ* stummes H^{13}
1: mein seltenster genuss ist es verschwiegen nach dem weissen schloss und seinem französischen garten zu wandern und meine trauer zu wiegen in dieser weiten und königlichen verlassenheit *(G/G, S. 112). Das* weisse schloss *ist Schloß Nymphenburg. 9:* gebäu *ältere Form von Gebäude, Bauwerk*

S. 124 Rosen
A^{1}–A^{6}
Keine Interpunktion Vers 3 (nach du) A^{1}–A^{6}

S. 125 Stimmen der Wolken-Töchter
3: schlüfte *poetisch altertümlich für Schluchten 20:* umfahn *ältere Form für umfangen, umarmen*

S. 126 Feier

1–12: Vgl. hierzu Tacitus, Germania 39, wo berichtet wird, daß die Semnonen ihren heiligen Hain nie anders als mit einer Fessel angetan betraten, um sich als unterwürfig und die Gottheit als allmächtig zu bekennen, und daß sie dort Menschenopfer darbrachten (EM, S. 296). 13–28: Das Bild könnte von Böcklins Gemälde »Der heilige Hain« angeregt sein. 25: Vgl. S. 221 Erläuterung zu Der verwunschene Garten, *Vers 9.*

S. 128 Empfängnis

5: schrunde *Spalte, Kluft 7:* schroffen *zerklüfteter Fels*

S. 129 Litanei

Entstanden vor Ende Februar 1904; George las das Gedicht während seines Münchner Aufenthaltes bei Wolfskehls vor, wie aus einem Brief Hanna Wolfskehls an George vom 20. 12. 1904 (Hs) hervorgeht.

Keine Interpunktion Vers 1, 3, 4 (nach schreine), 5, 6 (*nach* gestritten*), 7, 9, 10 (nach* hände*), 11, 12 (nach* hoffen*), 13, 15, 16 B VII*

4 qual.] qual . . *B VII* 6 arm.] arm . . *B VII* 12 das] dein *B VII*

S. 130 Ellora

Ellora *ist eine Hindustadt mit unterirdischen Felsentempeln in Haiderabad. Melchior Lechter und Karl Wolfskehl befaßten sich mit indischer Religion und Mystik. Zur Anlage der Felsentempel vgl. Lechters Beschreibung in: Tagebuch der indischen Reise. Berlin 1912 (unter dem 15. März 1911)*

16: In der idiomatischen Wendung zur rüste *gehn hat sich* rüste *als Ausruhen nach Anstrengung erhalten.*

S. 131 Hehre Harfe

Vgl. das Gedicht Da dein gewitter o donnrer *Vers 4–6 (GA VIII, 18):* Die hehre harfe und selbst die geschmeidige leier/ Sagt meinen willen durch steigend und stürzende zeit/ Sagt was unwandelbar ist in der ordnung der sterne.

LIEDER

*Die datierbaren Gedichte ergeben einen Entstehungszeitraum von 1892/93 (*Lieder I–VI, *S. 136f.) bis Anfang Oktober 1905 (*Lieder I–III, *S. 142f.).*

S. 136–141 Lieder I–VI

Nach G. P. Landmann (G/C, S. 12) könnten diese sechs Lieder in den Erlebniszusammenhang Ida Coblenz und die Jahre 1892/93 gehören; vgl. zu Lieder I–III

S. 224. Hierfür spricht die strukturelle Ähnlichkeit mit dem Gedicht Sprich nicht immer *aus dem* BUCH DER HÄNGENDEN GÄRTEN *(GA III, 111), das mit seiner komplizierten Reimführung und Kurzzeiligkeit seinerseits einen Einzelfall darstellt.*

S. 142–144 Lieder I–III
Entstanden Anfang Oktober 1905, nach der Wiederbegegnung mit Hugo Zernik in Berlin. H^{26} *und* H^{27} *lagen Briefen an Friedrich Gundolf (9. 10. 1905) und Sabine Lepsius (12. 10. 1905) bei.*
II
H^{26} H^{27}
Keine Interpunktion Vers 1, 2, 6 H^{26} H^{27}
Überschrift An mein Kind H^{26} H^{27}
3 tritt] schritt H^{26} H^{27} **6** brauner schmelz] dunkles braun H^{26} tiefes braun H^{27} **12** unsern] unsren H^{26} H^{27} **18** mir] mir· H^{27}
Vgl. Georges Brief an Sabine Lepsius vom 12. 10. 1905: wie gut dass meine wirrungen: innere und äussere abwesenheiten der lezten woche mit Ihrer eignen unsichtbarkeit zusammenfiel! Ich kann nichts weiter sagen. – die inlage tut es am besten . . . *(SL) Hugo Zernik war ein junger Argentiniendeutscher, den George als Zwölfjährigen im Mai 1903 in Berlin kennengelernt hatte, und der Anfang Oktober 1905 aus Argentinien zurückkehrte.*

S. 145 Südlicher Strand: Bucht
Entstanden vermutlich im Zusammenhang mit Georges Aufenthalt am Golf von Neapel 1898; vgl. SW V, 124 zu Feld vor Rom *und* Südliche Bucht
12: Einziger von George auch in italienischer Sprache geschriebener Vers, der überliefert ist: Tanto m'incresce il camminare solo *(EM, S. 305).*

S. 146 Südlicher Strand: See
Zur Datierung vgl. zu Südlicher Strand: Bucht

S. 148 Rhein
15f: Der Heilige ist St. Rochus, der Schutzheilige von Bingen, der in einer Nische der hoch über dem Rhein gelegenen St. Rochuskapelle stand, auf seine Beinwunde zeigend.

S. 150 Wilder Park
10: firn *bedeutet vorjährig, hier wohl für ungeerntete, hängengebliebene Früchte*

S. 151 Fenster wo ich einst mit dir
Ida Coblenz bezog viele Jahre später dieses Gedicht auf ein gemeinsames Erlebnis mit George (EM, S. 308)

S. 153 Wir blieben gern bei eurem reigen drunten
11: brüsch *ruscus aculeatus, ein stechendes Kraut mit roten Beeren (Grimm)*

Lieder I–III
In diesen drei Liedern *klingt das Erleben mit Ida Coblenz nach (G/C, S. 16). Damit schließt sich ein Kreis von den* Liedern I–VI *(S. 136ff.) zu diesen.*

S. 154 I
12: Die Lesart von GA[1] meinen *wurde, A*[1]*–A*[6] *und GA*[2] *folgend, korrigiert.*

S. 155 II
Das Motto ist eine Übersetzung der Verse eines spanischen Volkslieds: »Cuando paso por tu puerta/ Te reso un Abemaria/ Como si estubieras muerta.« (MB, S. 278, Anm. 11). Der Bezug auf Ida Coblenz ist sicher. Sie bestätigte, daß sie nach der Trennung von George 1896 diesem noch zweimal begegnet sei, beidemale auf der Drususbrücke bei Bingen (G/C, S. 84).

S. 156 III
11/12: Zur Bezwingung eines Vampirs muß dem bei Tag in seinem Sarg liegenden Nichttoten ein glühender Pfahl ins Herz getrieben werden.

S. 157 Fest
Vgl. M. Kronbergers Gedicht vom Februar 1904 »Das Fest« (MK, S. 22)
4 und 12: Der herr *des Festes und sein* gott *ist Dionysos*

S. 160 Aus dem viel-durchfurchten land
10: Du *kann auf Maximin bezogen werden wie auch auf den Engel des* VORSPIELS *(SW V) 11:* schlupf *Ort mit engem Eingang (Grimm)*

TAFELN

Soweit exakt datierbar, stehen die auf Personen bezogenen ersten 27 TAFELN *überwiegend in der Reihenfolge ihrer Entstehung. Es liegt nahe anzunehmen, daß die wenigen nicht datierbaren die chronologische Folge nicht durchbrechen. Sie sind zwischen Ende 1898 und Ende 1905 entstanden. Der anschließende größere Teil, aus mehreren thematisch zusammengehörigen Gruppen bestehend, läßt einen vergleichbaren Schluß nicht zu, da nur einige wenige Gedichte datierbar sind. Nach Melchior Lechters Brief an George vom 6. 6. 1907 lautete der Zyklentitel damals noch* AUFSCHRIFTEN UND TAFELN *(Hs).*

S. 165 An Melchior Lechter
Entstanden vor dem 2. Oktober 1899, Lechters Geburtstag, auf den H[5] *datiert ist.*
H[5] *H*[6] *B V*

Keine Interpunktion Vers 2, 3, 4 (nach uns*), 5, 6 H^5; Vers 2, 3, 4 (nach* uns*), 5 H^6; Vers 3 und 5 BV*
An Melchior Lechter] Widmung/ An M. L. *BV*
4 gebiert!] gebiert · H^5 H^6 6 bleibendem strahl] standhaftem licht H^5 H^6
flutnacht] flut-nacht H^5 H^6 zeit!] zeit. H^5

S. 165 An Karl und Hanna
Entstanden vor dem 29. Dezember 1898, vgl. Datierung von H^1
H^1 h^4
h^4 ist eine Abschrift von H^1 nach Kronbergers handschriftlichen Erinnerungen (Hs, S. 66)

An Karl Wolfskehl und Hanna de Haan:
Wenn wir auf vielen bangen fahrten nach der schöne:
Beladen sind mit reichen lebens bunter beute
So freut uns dass ein tag das frühere leben kröne
Und in das kommende mit heiligem finger deute H^1

Am 29. Dezember 1898 heirateten Karl Wolfskehl und Hanna de Haan (1887–1946). Aus diesem Anlaß sandte George H^1.

S. 165 An Gundolf
Entstanden zwischen dem 7. und 9. August 1899, vgl. die Datierung von H^2 und Verweys Bericht (AV, S. 23). Am 4. August besuchte Friedrich Gundolf George zum ersten Mal in Bingen, im Beisein von Albert Verwey.
H^2 H^3
Keine Interpunktion Vers 3, 4 H^2; Vers 2, 3 H^3
Keine Überschrift H^2 H^3
1 Warum] Wozu H^2 H^3 3 dies] das H^2

S. 166 Erinnerung an Brüssel
Entstanden wohl nach Georges Aufenthalt in Brüssel Anfang Juli 1899. Wie Fahrt-Ende *(SWV, 73) erinnert dies Gedicht an Georges Aufenthalt mit Richard Perls (1873–1898) in Belgien Mai 1896. Zu Richard Perls vgl. SWV, 126f.*
1: wimperge *gotische Ziergiebel über Fenstern und Portalen 2–4: Die Brüsseler Kathedrale* Sankt Gudula *befindet sich am* Treurenberge.

S. 166 Gespenster: An H.
Das Gedicht ist an Hugh Gramatzky, einen Engländer polnischer Herkunft, gerichtet. George sagte über ihn: »einer, der ziemlich nah war, aber man konnte ihn nie recht fassen, weil er mit Gespenstern lebte. Er beschwor Geister. Er war am Himalaya geboren. Er war der Irrgänger im Maskenzug« (EL, S. 194) Gemeint ist der 1904 privat aufgeführte »Maskenzug 1904«, bei dem George selbst mitwirkte.

S. 166 — An Henry

Entstanden frühestens Winter 1901/02. Damals begegnete George dem in Petersburg geborenen Dichter Henry von Heiseler (1875–1928) zum ersten Mal. Vgl. MB, S. 118f. Gedichte von ihm standen in den ›Blättern für die Kunst‹ VI und VII; vgl. auch Bibl. S. 375

S. 167 — Gaukler

2: deuchtet *Nebenform zu dünken (Grimm)*

S. 167 — Ernesto Ludovico: Die Sept. Mens. Sept.

Entstanden nach dem 7. September 1902, wie die Widmung von H^{15} bezeugt
H^{15}
Keine Interpunktion Vers 1 H^{15}
Ernesto Ludovico: Die Sept. Mens. Sept.] Ernesto Ludovico Hassiae Magn: Duc: In Mem: D: Sep: M: Septembr: Ann: MDCDII H^{15}
2 mit uns] uns mit H^{15} hände.] hände . . . H^{15} 3 kann] kann! H^{15} 4 Ihm] ihm *über gestrichen* Dein *(Schreibversehen, emendiert zu* Dem *G/G, S. 121)* H^{15} eine] EINE H^{15}
Die erweiterte Widmung von H^{15} *lautet übersetzt: »Ernst Ludwig Großherzog von Hessen. Zur Erinnerung an den siebten Tag des Monats September im Jahr 1902.« Sie bezieht sich auf einen Besuch, zu dem George auf Wunsch von Großherzog Ernst Ludwig zu Hessen und bei Rhein nach Schloß Wolfsgarten gebeten worden war.*

S. 168 — In Memoriam Elisabethae

Entstanden nicht vor dem 3. 12. 1903. An diesem Tage erreichte George die Nachricht vom Tode Elisabeths (Hanna Wolfskehl an George, 2. 12. 1903 (Hs))
H^{18} h^{2}
Keine Interpunktion Vers 3 h^{2}
In Memoriam Elisabethae] In Memoriam H^{18} h^{2}
1 schauervolle] schauervolle · H^{18} h^{2} seelen] seele · H^{18} h^{2} ferne] fernen H^{18}
2 liedes] Liedes h^{2} trauer] trauer · H^{18} trauer – h^{2} 4 verklungnen –] verklungnen · h^{2} 7 bebt!] bebt – H^{18} h^{2}
Elisabeth, Tochter des Großherzogs von Hessen und bei Rhein und der Großherzogin Viktoria Melitta, starb achtjährig im November 1903. George hatte bei seinem Besuch in Wolfsgarten (vgl. zu Ernesto Ludovico*) wohl auch das 1902 von dem Architekten J. M. Olbrich im Park erbaute Kinderhaus gesehen (Abbildung in MB II, T. 128f.).*

S. 168 — An Sabine

Entstanden vor Oktober 1903, wie aus der Datierung von H^{16} H^{17} *zu schließen ist, wahrscheinlich nach dem 4. 10. 1902 (vgl. unten)*

H^{16} H^{17}
An Sabine] Zum October 1903 H^{16} H^{17}
1 Das farben-laub umschlang] Im farben-laub verrann H^{17} 2 sommerbrands] sommer-brands H^{16} H^{17} 5 träne] tränen H^{17} kinder –] kinder · H^{16}
Sabine Lepsius (1864–1942) schildert einen Herbstspaziergang mit George und ihren Kindern und berichtet, daß ihre »Gespräche durchaus persönliches Gepräge trugen« und sie sich von ihrer frühen Jugend erzählten (SL, S. 46). Dabei dürfte es sich um eben jenen Spaziergang handeln, von dem sie Reinhold Lepsius am 5. 10. 1902 in einem Briefe schreibt (Hs, Schiller-Nationalmuseum). Dieser Gang mag Anlaß für das Gedicht gewesen sein.

S. 168 Einem Pater
Entstanden wohl nach dem 8. 3. 1904, nachdem in Deutschland das vollständige Verbot der Societas Jesu soweit modifiziert worden war, daß einzelnen Jesuiten der Aufenthalt wieder erlaubt war.
A^1–A^4
4 DIE] die A^1–A^4

S. 169 An Verwey
Entstanden nicht vor dem 31. Mai 1902, dem Abschluß des Friedensvertrages von Vereeniging, der die Niederlage der Buren im Krieg gegen England besiegelte. Das Gedicht ist an den holländischen Dichter Albert Verwey (1865–1937) gerichtet, mit dem George seit 1895 freundschaftlich verbunden war (vgl. zu Dünenhaus *SW V, 118f.). Es erinnert mit Vers 1–3 an Gespräche in Noordwijk Juni 1901 zwischen George und Verwey über den Burenkrieg. Vgl. George an Verwey, 22. 12. 1901:* nicht zu vergessen die Burenlieder wo alles wieder ersteht was wir zusammen geredet über die schicksale des unglücklichen volkes. Möcht es sein: die Ras die niet stierft! *(G/V, S. 104f.).*
3: Hier ist England gemeint, dessen Umrisse im Schulatlas George als Kind an einen Drachen erinnerten (EM, S. 319).

S. 169 G. v. V.
Entstanden nach dem 27. 3. 1903. An diesem Tag teilte Albert Verwey George den Tod seines Schwagers Gerlof van Vloten mit (G/V, S. 117).
Gerlof van Vloten (1866–1903) erschoß sich am 20. 3. 1903 in den Dünen bei Noordwijk. Er war Orientalist und unternahm 1896 eine Reise nach Konstantinopel und Damaskus. George lernte den schwer unter Melancholie Leidenden bei dessen Schwester und Schwager Verwey in Noordwijk kennen.
2: ronde *franz. für Runde, militärisch für den Weg der Wache (Grimm) 3:* sponde *norddeutsch für Gestell eines Bettes, lat. sponda.*

S. 169 An Carl August Klein

Entstanden im März 1904. Am 1. 3. 1904 schickte Klein George eine Vermählungsanzeige, auf die Brief und Gedicht (H^{21}) vom März 1904, antworteten.

H^{21}

Keine Interpunktion Vers 1 (nach pfade*)* H^{21}

An Carl August Klein] An C. A. Klein H^{21}

3 der] ein H^{21} sterns] Sterns H^{21} gleichen] selben H^{21}

C. A. Klein (1867–1952) war Georges treuer Weggefährte, Mitarbeiter (nominell Herausgeber der ›Blätter für die Kunst‹) und Freund in den 90er Jahren; vgl. Carl August *(S. 28),* Die Ebene *(SW V, 72) und die Widmung der* HYMNEN: An Carl August Klein den trauten und treuen seit der jugend.

4: Neubeginn durch Maximilian Kronberger für George und für Klein durch seine Heirat.

S. 170 An Hanna mit einem Bilde

Entstanden laut Datierung von H^{22} *im Januar 1905*

H^{22}

An Hanna mit einem Bilde] Für Hannah Wolfskehl H^{22}

1 Du kennst von allen nur] Von allen weisst nur du H^{22} 2 des verlassnen] der verlassnen H^{22} 3 bild das frei ward:] blatts geheimnis – H^{22} 4 kehre!] kehre. H^{22}

Die Verse sind an Hanna Wolfskehl gerichtet (vgl. An Karl und Hanna, *S. 165). Bei dem* Bilde *handelt es sich um eine George-Photographie, die George nach dem Tode Maximilian Kronbergers zurückerhielt, und die er Hanna Wolfskehl schenkte. Die Trennung von Bild und Text machte die Variante in Vers 3 notwendig wie auch die Änderung des ursprünglichen Titels.*

S. 170 An Robert: I Brücke

Entstanden nach der ersten Begegnung Georges mit Robert Boehringer am 31. 3. 1905 und der gemeinsamen Fahrt nach Rheinfelden am 1.4.1905.

H^{23}

An Robert: I Brücke] An R. (In: R · H^{23}

1 der] vom H^{23} 2 strudel!] sprudel! . . . *geändert zu* strudel H^{23} 4 wirst.] wirst! H^{23}

Von Robert Boehringer (1884–1974), Georges langjährigem Freund, späterem Erben und Nachlaßverwalter erschienen Gedichte in den ›Blättern‹ VIII–XII, seine Abhandlung »Über Hersagen von Gedichten« erstmals im Jahrbuch für die geistige Bewegung 1911. Vgl. auch Bibl.

Die Überschrift von H^{23} In: R · *weist auf Rheinfelden hin, wo damals eine überdachte hölzerne Brücke über den Rhein führte.*

S. 170 II Abend in Arlesheim
Zur Datierung vgl. zu I Brücke
Arlesheim ist ein kleiner Ort in der Nähe von Basel.

S. 171 An Ugolino
Entstanden nach Oktober 1905
Die Verse sind an Hugo Zernik gerichtet; vgl. zu Mein kind kam heim *S. 223*

S. 171 An Lothar
Entstanden wohl nicht vor April 1905; die TAFEL *nimmt Bezug auf Lothar Treuges Gedicht »Triadische Totenmesse«, das George in das Gedenkbuch* MAXIMIN *aufnahm. Die Gedichte für das Gedenkbuch lagen im April 1905 vor (vgl. Datierung von* Auf das Leben und den Tod Maximins: Das erste, *S. 216)*
H^{28}
An Lothar] Sonntag im November H^{28}
1 feuchten] dunklen H^{28} 2 siebt!] siebt . . . H^{28}
Lothar Treuge (1877–1920) war Dichter und Bohemien. In den ›Blättern für die Kunst‹ VI und VII stehen Gedichte von ihm; vgl. auch Bibl. Nr. 2597

S. 171 An Ernst
Entstanden vor dem 24. 5. 1905, dem Tag der Versendung von H^{25} an Ernst Gundolf.
H^{25}
2 jedem] allem H^{25} wunsch] wunsch – H^{25}
Der Angesprochene ist Ernst Gundolf (1881–1945), der Bruder von Friedrich Gundolf. George schätzte den scheuen und sehr zurückgezogen lebenden, treuen Menschen ebenso sehr wie den Zeichner. Gedichte von ihm stehen in B VII, zwölf Zeichnungen erschienen 1905 im Verlag der Blätter für die Kunst; vgl. auch Bibl.

S. 172 An Derleth
Entstanden 1905/06; vgl. S. 224 zu den TAFELN
H^{32}
Keine Interpunktion Vers 6 H^{32}
6 band] band · H^{32}
Ludwig Derleth (1870–1948), von Verwey als ›streitbarer Feldherr Gottes‹ bezeichnet (»Michael« 1902), lebte zur Entstehungszeit der TAFEL *unverheiratet mit seiner Schwester (vgl.* An Anna Maria*) in München. Seine unbürgerliche Lebensweise machte ihn wie George jederzeit aufbruchsbereit. Die zweite Strophe formuliert das Gemeinsame zwischen George und Derleth und wurde diesem deswegen im August 1907 zugesandt (H^{32}). Vgl. auch Bibl. S. 372.*

S. 172 Einem Dichter

Entstanden vermutlich November/Dezember 1906; vgl. die Datierung von H^{30} und Georges Brief an Ernst Gundolf vom 14. 11. 1906 aus Jena: Eine grosse freude hier ist der Walter *(Hs)*

H^{30}

Einem Dichter] W. W. H^{30}

Nach Ausweis der Überschrift von H^{30} ist das Gedicht an Walter Wenghöfer (1877–1918) gerichtet (vgl. Walter W. *GA IX, 115). Von ihm standen Gedichte in B VII, B VIII und B IX. Er liebte die Dämmerung, das Halblicht in seinem Leben und Dichten (vgl. »Der dunkle Saal« 1904). Vgl. auch Bibl. S. 385*

S. 173 An Anna Maria

Entstanden 1905/1906; vgl. S. 224 zu den TAFELN

H^{33}

An Anna Maria] Spruch Anna Maria's H^{33}

1 allem] allem · H^{33} 2 ruft ·] ruft: H^{33} 3 verflüchtigt ·] verflüchtigt . . H^{33}

4 gross.] gross . . H^{33}

Die erste Strophe wird durch die Überschrift von H^{33} erläutert. George schickte sie im August 1907 an Anna Maria Derleth (1874–1955), die damals unverheiratet bei ihrem Bruder Ludwig Derleth in München lebte.

3/4: Vgl. das Gleichnis von den fünf törichten und den fünf klugen Jungfrauen; Math. 25,1–31

S. 173 Einem Dichter

Entstanden zwischen April und Herbst 1906. Im Herbst las George Morwitz die Verse als Antwort auf dessen Gedichte vom April desselben Jahres vor; vgl. EM, S. 223.

Ernst Morwitz (1887–1971) war Richter beim Kammergericht in Berlin und Dichter. Er kam 1905 zu George, der ihn 1913 der Nächste Liebste *nannte (GA IX, 20). Gedichte von ihm stehen in den ›Blättern für die Kunst‹ VIII–XII; von ihm ist der zweibändige »Kommentar zu dem Werk Stefan Georges« (EM), vgl. Bibl. S. 378*

S. 174/175 Rhein: I–VI

Nach Bericht Verweys dürfte es sich hier um Teile eines großen Gedichts »Rheingedanken« handeln, das George 1899 plante: »der Rhein, von seinem Ursprung bis zu seinem Ende, und worin er all sein deutsches Fühlen und Trachten vereinigen möchte.« (AV, S. 25). Vgl. auch ES, S. 257.

Rhein: I

1: geschwister *Philosophie und Musik nach Georges eigener Erklärung von 1922 (KH, S. 157). Vgl. auch Georges Ausspruch von 1929: »Damals war in Deutsch-*

land nichts anderes da: Bach, Händel, Leibniz. Ein Volk kann sich schließlich nur mit dem beschäftigen, was es hat« (EL, S. 199). 2: Deutschland als Mitte Europas 3/4: Nach George (1922) »die bildhafte Dichtung« (KH, S. 157). Vgl. auch Georges Ausspruch von 1925: »als . . . von Musik die Rede war: ›Die sind ein Ende und wir sind ein Anfang‹ « (EL, S. 138)

Rhein: II

1: gabel *der Dreizack Poseidons/Neptuns 2:* hort *der Hort der Nibelungen, der »ze loche« im Rhein versenkt wurde 4:* fabel *die Geschichte der Nibelungen.*

Rhein: III

Der Rhein fließt, in den Alpen entspringend, von der Ersten Stadt *Basel zur* Silberstadt, *Argentorate d. i. Straßburg, und* Goldnen Stadt *Mainz zum* heiligen Köllen. *Die Attribute der Städte Mainz und Köln stammen aus dem Mittelalter.*

Rhein: IV

1: gereut *von reuten/roden in der Bedeutung ›ausreißen‹, ›urbar machen‹; Sammelbildung nur mhd. geriute für das urbar gemachte Land. Hier kann nur das ›Ausgerissene‹ gemeint sein. 3:* rötel kalk und teer *entsprechen, wenn auch in umgekehrter Reihenfolge, den Reichsfarben rot weiß schwarz.*

Rhein: VI

2: Abwandlung der Redensart ›neuen Wein in alte Schläuche gießen‹ 4: George hat immer wieder auf das römische Erbe des Rheinlandes hingewiesen (vgl. Ursprünge, *S. 116f.). Zu* hauch *vgl.* Vorspiel II *und Erläuterung zu V. 1 (SWV, 104).*

S. 176 Kölnische Madonna

2: Von Frankreich oder Belgien, wo George in den frühen 90er Jahren häufig weilte, weil er es in Deutschland nicht aushielt. 4: Bei der Madonna mit der Wicke *handelt es sich um die »Madonna mit der Erbsenblüte« des Meister Wilhelm. In Georges Nachlaß befindet sich eine Reproduktion dieses Bildes und folgende Notiz von Georges Hand:* Madonna mit der bohnenblüte. Zartheit würde schönheit den derzeitigen Italienern ebenbürtig. leichte gesichtsproportionenveränderung verschwiegen // farben der bohnenblüte über dem ganzen bild, das helle braun des kleides, das kaum merkliche im dunkelgrün von überwurf und kopfhülle *(Hs).*

S. 176 Bild: Einer der 3 Könige

Entstanden nicht vor Ende November 1905. Damals schenkte Friedrich Wolters George eine Abbildung des jüngsten Königs aus dem Liesborner Altarbild, das die Heiligen drei Könige darstellt (KH, S. 31) (Landesmuseum Münster).

S. 176 Nordischer Meister

Der nordische Meister ist Rembrandt.

1: gebreste *Mangel, Fehler, Schaden 1/2: Dürfte sich auf die Auseinandersetzung zwischen Verwey und George in den Jahren 1900–1902 über Rembrandt und den Unterschied zwischen nordischer und südlicher Kunst beziehen. Vgl. die Rembrandtstrophe aus Baudelaires Gedicht »Les Phares« in Georges Übersetzung:*

Rembrandt trauriges siechhaus voll murmelnder stimmen
Und mit einem grossen kruzifix geschmückt
Wo beten und weinen über dem unrat schwimmen –
Und jählings von einem winterstrahle durchzückt.

S. 176 Nordischer Bildner

Nach Morwitz ist hier der damals bekannte Bildhauer Stephan Sinding gemeint (EM, S. 326).

3: letten *Tonerde, lehmiger Mergel (Grimm)*

S. 177 Kolmar: Grünewald

Entstanden nach dem 2. Februar 1906. An diesem Tag schrieb George an Friedrich Gundolf aus Colmar: gruss aus dieser finstren unheimlichen Stadt mit dem unheimlichsten unsrer meister M. G. *(G/G, S. 172)*

Von Matthias Grünewald befindet sich der um 1515 geschaffene Isenheimer Altar in Colmar.

S. 177 Heisterbach: Der Mönch

Das Gedicht dürfte sich auf den Zisterzienser Caesarius von Heisterbach (gest. nach 1240) beziehen. Er war Prior und einer der wichtigsten mittellateinischen Schriftsteller, Verfasser theologischer und historischer Werke. Von besonderer Bedeutung sind seine Predigtmärlein.

S. 177 Haus in Bonn

Gemeint ist das Geburtshaus Ludwig van Beethovens in Bonn.

S. 177 Worms

Beim Wormser Reichstag 1521 lehnte Luther den Widerruf seiner vielfach umstrittenen 95 Thesen über den Ablaß ab.

1/2: Die Wiedergeburt der Antike und die geistige Wiedergeburt des Menschen in der Renaissance, die von Italien ausgehend sich auch auf die deutschen Lande auswirkte. 3: Vgl. Die Gräber in Speier, *Vers 21 (S. 22f.):* mönchezank

S. 178 Winkel: Grab der Günderode

Anstoß für das Gedicht mag ein in Georges Nachlaß befindlicher Zeitungsartikel vom 26. 7. 1906 zum hundertsten Todestag der Caroline von Günderode (1780–

1806) gewesen sein. Möglicherweise handelt es sich aber bei dem Zitat »des nächtlichen Rheines« *in Georges Brief an Gundolf (13. 7. 1900) schon um ein Selbstzitat einer früheren Fassung des Gedichtes (vgl. G/G, S. 59).*
Winkel, der Ort, an dem sich die Günderode das Leben nahm, und wo auch ihr Grab ist, liegt schräg gegenüber von Bingen auf der anderen Seite des Rheins.
1: Huldin *eine anmutige Frau als Mittelpunkt eines geistigen Kreises.*

S. 178 Aachen: Graböffner
Das Gedicht bezieht sich auf die bis heute vergebliche Suche nach der Grabstätte Karls des Großen, der 814 in der Pfalzkapelle zu Aachen beigesetzt wurde.

S. 178 Hildesheim
Entstanden nach dem 4./5. Juni 1903. Diese Tage verbrachte George mit Friedrich Gundolf in Hildesheim (G/G, S. 134)
3/4: Der angeblich tausendjährige Rosenstrauch am Dom von Hildesheim.

S. 178 Quedlinburg
Entstanden möglicherweise nach dem 4. 12. 1906. An diesem Tag sandten George und Ernst Gundolf eine Ansichtskarte der Quedlinburger Schloßkirche an Melchior Lechter.
Quedlinburger Stiftsdom und Stift, auf dem Schloßberg über der Stadt gelegen, besuchte George laut Morwitz an einem stürmischen Tag (EM, S. 238).
1/2: Die die Außenseite des Domes schmückenden Skulpturen. Bei den Gesalbten ist an Heinrich I. und an dessen Gemahlin Mathilde zu denken, die in der Krypta beigesetzt sind. 3/4: Im Osten der höhn *des Harzes liegen Berlin und die sandige Mark Brandenburg.*

S. 179 München
Am 27. 4. 1905 schrieb George an Melchior Lechter: was beginnen Sie mit einem schelten auf die Bierstadt? davon seh ich überhaupt nichts. München ist die einzige stadt der Erde ohne »den bürger« hier giebt es nur volk und jugend. Niemand sagt dass diese immer angenehm sind · aber tausendmal besser als dieser Berliner mischmasch von unterbeamten juden und huren! *(Hs)*
4: Die Liebfrauenkirche

S. 179 Herbergen in der Au
GA[1]
4 tötend] tönend *GA*[1] *wurde, A*[1]*–A*[6] *und GA*[2] *folgend, korrigiert.*
Au ist ein alter Stadtteil Münchens. Die Vers 1/2 geschilderten Häuser werden Herbergen *genannt.*

S. 179 Bozen: Erwins Schatten

Enstanden möglicherweise im Zusammenhang mit Georges und Fr. Gundolfs Reise nach Oberitalien in den letzten Märztagen 1900 (vgl. G/G, S. 47).

Erwin *ist die Hauptgestalt in Leopold von Andrians Erzählung »Der Garten der Erkenntnis«.* Bozen *ist eine Lebensstation* Erwins, *er weilt dort 14–17jährig zum Studium. George schätzte die Erzählung Andrians bis ans Ende seines Lebens sehr.*

S. 180 Bamberg

3/4: Das Standbild des Bamberger Reiters wird u. a. als Darstellung Heinrichs II. oder des heiligen Stephans, König von Ungarn, gedeutet. 5–8: Auf dem Riemenschneiderrelief des Grabmals von Kaiser Heinrich II. ist der Arzt am Lager des Kaisers dargestellt, mit dem Blasenstein in der Hand, von dem er Heinrich befreite. Aufgrund großer Ähnlichkeit konnte George sich im Bild des Arztes erkennen, während er im Reiterstandbild sein Wesen ausgedrückt fand.

S. 180 Trausnitz: Konradins Heimat

Konradin wurde am 25. 3. 1252 auf der Burg Wolfstein geboren. Die Burg Trausnitz, bei Landshut an der Isar gelegen, soll er nur für einige wenige Tage vor seinem Aufbruch nach Italien bewohnt haben. Die späten brüder *Konradins waren wie er voll Sehnsucht nach Süden Strebende und Gehende* (süder)*: Winckelmann, Goethe, Byron, Böcklin, C. Harris u. a. 4:* selde *mittelhochdeutsch Glück, Heil, Seligkeit. Vgl. auch* Rom-Fahrer *(SW V, 50).*

S. 180 Die Schwesterstädte

Ein Anhalt zur Datierung könnte mit Georges Besuch in Jena und Weimar am 14. und 15./16. 12. 1905 gegeben sein (vgl. G/G, S. 169).

Die Schwesterstädte sind Weimar und Jena.

1–4: Weimar als Sitz der Geistesfürsten von Goethe bis zu Nietzsche (vgl. Nietzsche, *S. 12) 5–8: Von einem Hügel vor Jena aus soll Napoleon die Schlacht von Jena (1806) beobachtet haben.*

S. 181 Heiligtum

Entstanden nicht vor Ende April 1904. Damals sprach Friedrich Gundolf in Briefen an George und Wolfskehl von der in Darmstadt aufbewahrten Shakespearemaske, diese als Heiligtum *bezeichnend (G/G, S. 153).*

Außer der Shakespearemaske befand sich in Darmstadt die sogenannte Darmstädter Madonna von Holbein dem Jüngeren.

S. 181 Stadtufer

3/4: Kaiser Heliogabal ließ einst 10 000 Spinnen sammeln; vgl. Aelius Lampridius: Antonius Heliogabalus 26,6 (Friedrich Adam: Stefan Georges Siebenter Ring. Manuskript 1979, S. 53).

S. 182 Jahrhundertspruch

3: maass *zentraler Begriff in Georges Dichtung und Leben;* ewe *dem mittelniederländischen êwe (niederländisch eeuw) für Zeitalter, Jahrhundert nachgebildet.*

S. 182 Ein Zweiter

1: Anspielung auf das Linsengericht, für das Esau seine Erstgeburtsrechte an seinen jüngeren Bruder Jakob verkaufte (1. Mos. 25,27–34).

S. 183 Ein Fünfter: Östliche Wirren

Entstanden nach der Revolution in Rußland von 1905.

S. 183 Ein Sechster

2: trift *vor allem mit der Bedeutung von Wiesenfläche, Weideland verwendet, aber auch als Treiben (Grimm).*

S. 184 Verführer: I

2: melk *milchgebend (Grimm)*

S. 185 Maskenzug

Entstanden nach dem 22. 2. 1903. An diesem Tag fand im Hause Wolfskehl der Maskenzug statt, auf den sich das Gedicht bezieht.
Dabei traten Wolfskehl als Bacchus, Henry von Heiseler als Hermes, George als Cäsar und Alfred Schuler als Magna Mater auf; vgl. MB II, T. 87–89.

S. 185 Feste

Entstanden nach Frühjahr 1904 im Rückblick auf die Münchener Feste von 1903/04
3: Als Cäsar trug George einen Stirnreif und eine Kerze (1903), als Dante einen Lorbeerkranz (1904).

S. 186 Ein Gleiches: Frage

3f.: Vgl. das Verhältnis von Johannes dem Täufer und Christus: »es kommt aber der, welcher stärker ist als ich, und ich bin nicht würdig ihm die Riemen seiner Schuhe zu lösen.« (Lukas 3,16).

S. 187 Ein Gleiches

In den Jahren 1897–1907 unternahm George nur noch kurze Auslandsreisen. Er lebte und dichtete auf deutschem Boden, im deutschen Sprach- und Kulturraum; vgl. An Waclaw *V. 2. 3:* tempeltone *bezeichnet den hymnischen Ton der frühen Dichtung Georges.*

S. 187 Ein Gleiches: An Waclaw

Entstanden nach dem 29. 9. 1906. An diesem Tage fand die Wiederbegegnung zwischen George und Lieder in Berlin statt.

Der polnische Dichter Waclaw Rolicz-Lieder (1866–1912) war 1897 von Frankreich nach Polen zurückgekehrt. Während der Entstehungszeit des SIEBENTEN RINGS *(1897–1906) hatten sich George und Lieder nicht gesehen.*

Ute Oelmann

INHALT

In einer zweiten Kolumne geben wir die in der Literatur bisher verwendeten Seitenzahlen der alten Gesamtausgabe von 1931 wieder.

ZEITGEDICHTE

GESTALTEN

GEZEITEN

MAXIMIN

TAFELN

ANHANG

Verlagsgemeinschaft Ernst Klett Verlag –
J. G. Cotta'sche Buchhandlung

Printed in Germany
Satz: ars, Sindelfingen
Druck und buchbinderische Verarbeitung:
Wilhelm Röck, Weinsberg

CIP-Kurztitelaufnahme der Deutschen Bibliothek

George, Stefan:
Sämtliche Werke: in 18 Bd. / Stefan George. –
Stuttgart: Klett-Cotta
NE: George, Stefan: [Sammlung]
Bd. 6/7. Der Siebente Ring. – 1986.
ISBN 3-608-95113-X

STEFAN GEORGE
SÄMTLICHE WERKE IN 18 BÄNDEN

BAND I DIE FIBEL
AUSWAHL ERSTER VERSE

BAND II HYMNEN · PILGERFAHRTEN · ALGABAL

BAND III DIE BÜCHER DER HIRTEN-
UND PREISGEDICHTE · DER SAGEN UND SÄNGE
UND DER HÄNGENDEN GÄRTEN

BAND IV DAS JAHR DER SEELE

BAND V DER TEPPICH DES LEBENS
UND DIE LIEDER VON TRAUM UND TOD
MIT EINEM VORSPIEL

BAND VI/VII DER SIEBENTE RING

BAND VIII DER STERN DES BUNDES

BAND IX DAS NEUE REICH

BAND X/XI DANTE · DIE GÖTTLICHE KOMÖDIE
ÜBERTRAGUNGEN

BAND XII SHAKESPEARE SONNETTE
UMDICHTUNG

BAND XIII/XIV BAUDELAIRE · DIE BLUMEN DES BÖSEN
UMDICHTUNGEN

BAND XV/XVI ZEITGENÖSSISCHE DICHTER
ERSTER UND ZWEITER TEIL

BAND XVII TAGE UND TATEN
AUFZEICHNUNGEN UND SKIZZEN

BAND XVIII SCHLUSSBAND